PROBLEMAU PRIFYSGOL

PROBLEMAU PRIFYSGOL

SAUNDERS LEWIS

LLYFRAU'R DRYW

LLANDYBIE, SIR GAERFYRDDIN.

Argraffiad Cyntaf 1968.

Rhaid cael caniatâd swyddogol y Cyhoeddwyr cyn chwarae'r ddrama "Problemau Prifysgol." Y mae'n ofynnol gyrru am y caniatâd o leiaf saith niwrnod cyn y perfformiad. Gyrrer am y telerau a'r caniatâd at Llyfrau'r Dryw, Llandybie, Sir Gaerfyrddin.

Argraffwyd gan Wasg Merlin.

Cyhoeddwyd gan Christopher Davies (Cyhoeddwyr) Cyf., Llandybie, Sir Gaerfyrddin.

RHAGAIR

Yn rhifyn Rhagfyr 1967 o gylchgrawn da'r Academi Gymraeg, sef *Taliesin*, cyhoeddwyd darlith a draddododd Griffith John Williams i'r Academi beth amser cyn ei farw sydyn. Y mae hi'n ddarlith bwysig. Ni thraddododd G. J. Williams erioed ddim nad oedd yn werthfawr. Y mae yn y llith hon nifer helaeth o awgrymiadau yr wyf innau'n eu derbyn yn llawen. Ond ar brif bwynt, prif ddamcaniaeth y ddarlith, yr wyf yn anghytuno. A chan mai iaith Gymraeg drama a dialog nofel yw thema'r ddarlith, daliaf yn y cyfle hwn i drafod y pwnc. Dywedodd y darlithydd:

Y mae, fel y gŵyr pawb, agendor mawr rhwng yr iaith lafar, yr iaith fyw, a'r iaith lenyddol, iaith gonfensiynol a chelfyddydol i raddau helaeth.

Yr ydym ni yng Nghymru yn gorfod wynebu anawsterau na ŵyr cenhedloedd eraill, megis y Saeson a'r Ffrancod, odid ddim amdanynt.

Y mae'r ail frawddeg yn gwbl anghywir. Fe dystia darllenwyr Céline a Raymond Queneau fod llenorion Ffrainc heddiw yn gwybod am agendor rhwng iaith lafar ac iaith lyfr nid annhebig o gwbl i'n problem ni yng Nghymru. Mae'r broblem yn yr Eidal nid hwyrach yn fwy astrus o dipyn na'n heiddo ni. Yr oedd G. J. Williams yn ddigri gyndyn ar y pwnc hwn. Ni lwyddodd tystiolaeth arbenigwyr i ysgwyd ei argyhoeddiad ef fod y Gymraeg ar ei phen ei hun yn hyn o beth. Sylfaenwyd ei argyhoeddiad ar ramadegwyr yr unfed ganrif ar bymtheg yn y Ffrangeg a'r Saesneg.

Thesis G. J. Williams yw bod gennym ni Gymry Cymraeg ddwy iaith, yr iaith fyw a'r iaith lenyddol. Y mae i'r iaith fyw amryw ganghennau, sef y tafodieithoedd. Nid iaith fyw, nid iaith y tafod, mo'r iaith lenyddol. O'r herwydd deil y ddarlith nad yw'r iaith lenyddol yn gweddu i ddrama nac i ddialog nofel.

Y mae fy thesis innau yn groes i hynny. Yn syml iawn, daliaf fod yr iaith lenyddol *yn* iaith fyw.

Fe ŵyr pawb ei hanes hi. Fe darddodd hi o draddodiad ysgolion y beirdd a gwnaeth John Davies hi'n iaith y Beibl Cymraeg. Gwnaeth y diwygiad Methodistaidd hi'n iaith y pulpud Cymraeg drwy Gymru gyfan, ac wedyn o gam i gam yn iaith y seiat, y cyfarfod gweddi, y cyfarfod misol, y cwrdd chwarter, yr Undeb a'r Gymdeithasfa, y darlithio ar ddirwest, yr areithio politicaidd, ac yna, diolch i John Morris-Jones, yn iaith llwyfan yr Eisteddfod a'r beirniadu ar awdl a phryddest, ac o'r diwedd yn iaith darlithiau prifysgol yn adrannau'r Gymraeg a gwersi ysgolion sir ac arholiadau. Os nad yw hynny oll yn *fyw*, beth atolwg sy'n iaith fyw?

Y ffaith amdani yw mai dyn dwy-ieithog oedd pob Cymro uniaith hyd at 1914 ac i raddau hyd at 1938. Yr oedd ganddo iaith ei fro, iaith y stryd a'r chwarel a'r pwll a'r cae rygbi a'r siop. Yr oedd ganddo hefyd iaith y seiat a'r cyfarfod gweddi a'r cyfarfod brodyr a'r cyfarfod llenyddol. Fe wyddai fod yr ail iaith hon, nid yn dafodiaith leol—er ei bod hi'n benthyg llawer gan y tafodieithoedd—ond yn iaith gyhoeddus gyffredin i bawb. Dyna gamp fawr genedlaethol y pulpud Anghydffurfiol Cymraeg. Ac nid oedd y Cymro cyffredin, boed flaenor neu aelod o'r Ysgol Sul neu'r Seiat Bwnc, yn cymysgu dim. Fe wyddai ba iaith i'w harfer lle bynnag y byddai, ac fe roes ystwythder hapus sy'n aros hyd heddiw yn rhinwedd arbennig ar yr iaith lenyddol Gymraeg.

Yn fy marn i, yr ail iaith fyw hon, yr iaith lenyddol Gymraeg, yw'r unig gyfrwng posib i theatr cenedlaethol ac i ddrama genedlaethol. Sicr iawn fod yn briodol defnyddio'r ffurfiau ystwythaf arni, y ffurfiau sy'n gyffredin iddi hi a'r tafodieithoedd. Cytunaf yn galonnog na ddylid sgrifennu *arnynt*, eithr *arnyn nhw*. Derbyniaf lawer o awgrymiadau gwerthfawr yr Athro. Ond y mae'r duedd sy ar gerdded heddiw i ddifrïo'r iaith lenyddol ac i frolio 'Cymraeg Byw', megis petai hithau'n Gymraeg marw yn gam enbyd â hanes ac yn drychineb o golled. Dywed G. J. Williams fod ysgolion Cymraeg a 'dylanwad y capel' yn peri fod cenhedlaeth yn codi sy'n defnyddio wrth siarad y ffurf artiffisial *ganddynt*. Onid cydnabod fod y ffurf yn fyw yw hynny? Ac yn wir fe erys yn fyw tra bo'r Cymro'n cofio am 'wraig a *chanddi* ddeg dryll o arian'. Mae'n iawn haeru mai gogoniant y Gymraeg a'i champ aruchel yw'r iaith lenyddol. Bid siŵr y dylid cadw ei chynaniad hi yn agos at ei chwiorydd y tafodieithoedd, ei chyfoethogi hi hefyd drwy fabwysiadau geirfaoedd ei chwiorydd. Ond hon, yr iaith lenyddol fyw, yw'r unig sylfaen posib i theatr Cymraeg a fyn fod yn theatr cenedlaethol.

Dywed G. J. Williams:

> Wrth argraffu dramâu, hyd yn oed dramâu mydryddol, dylid dileu ffurfiau gwneud yr iaith lenyddol, ffurfiau na fuont erioed yn rhan o'r iaith lafar. Yn gyntaf, ffurfiau'r rhagenwau personol dibynnol blaen, *ei, ein, eich, eu*. . . . Cyfeiriais at ddramâu diweddar sy'n cynnwys ffurfiau fel

ganddo, ganddi, rhyngddo, etc. . . . . **Rhaid cael geiryn o flaen *pob* berf ar ddechrau brawddeg** . . . **Credaf y dylid cydnabod *mi* y Gogledd a *fe* y De** . . . .**Gwelir pob math o anghysonderau mewn dramâu diweddar. Er enghraifft, ceir *cwbl* a *cwbwl*. Dylid defnyddio'r llafariad epenthetig wrth ddarllen Cymraeg** . . . . **Rhaid dynodi gwir natur seiniau wrth argraffu'r dramâu** . . .

Yn awr yr wyf i'n llwyr anghytuno â phob datganiad o'r paragraff uchod. Mae'r awdur yn mynnu i gonfensiwn printio wneud y gwaith y dylai ysgol theatr ei wneud. Gwir ddigon mai ffurfiau sbelio gwneud yw *ein, eich, ei.* Ond cofier hefyd na freuddwydiodd eu crewr am eu seinio'n wahanol i arfer yr oesoedd cynt. Gwir eto mai ffurfiau gwneud yw *ganddo, rhyngddi,* etc . . . Ond erbyn hyn maen nhw wedi ennill eu plwy. Mae pawb llythrennog yn eu hadnabod ac yn eu defnyddio. Pedantri yw eu gwrthod wrth ysgrifennu ac argraffu. Pan gawn ni theatr cenedlaethol a chwmni proffesiynol Cymraeg, bydd yn rhaid inni wedyn ar un-waith wrth goleg drama a miwsig cenedlaethol. Yn hwnnw fe fydd dysgu llefaru, cynanu, seinio Cymraeg ar y llwyfan—dysgu seiniau'r tafodieithoedd hefyd— yn rhan gyson o'r gwersi, megis y gwneir yn y Saesneg yn R. A. D. A. yn Llundain ac megis y gwneir yn ysgol y theatr cenedlaethol ym Mharis. Yna fe ddysg pob actor ac actores mai *i* yw sain *ei, yn* yw sain *ein, ganthi* yw sain *ganddi, pethe* yw sain *pethau,* etc . . .Pynciau ynganiad yw'r rhain. Cofier mai confensiwn yw hynny hefyd i ryw fesur. Ond yn bendifaddau nid pwnc argraffu mohono, nid mater o newid yr olwg ar yr iaith lenyddol ar ddalen llyfr, nid mater argraffu. Ac y mae gofyn i'r llyfr ddysgu llefaru cywir i actorion yn ffolineb ofer. Ni wna hynny ond dinistrio'r traddodiad llenyddol, torri ar arfer cenedlaethau o argraffu llyfrau Cymraeg a drysu cysondeb tai argraffwyr. Ni all llyfr, ni all argraffu fyth ddysgu cynanu iawn. Mewn gwersi llafar yn ysgol y theatr y mae dysgu a meistroli llefaru, cynanu, seinio cywir a chain. Fe ddylasai'r Gorfforaeth Ddarlledu Brydeinig fod wedi cychwyn gwersi o'r fath yng Nghaerdydd ugain mlynedd yn ôl ar gyfer ei hactorion Cymraeg a'i chyhoeddwyr newyddion. Y mae cynanu Cymraeg amryw ohonynt, y gwŷr, nid y merched, yn boen feunyddiol i'r glust. Pan ddaw'r theatr cenedlaethol bydd yn rhaid i hyn fod yn rhan o *curriculum* y coleg cenedlaethol mewn miwsig a drama.

Fel y mae pethau heddiw, amhosib bod yn gyson. Byddaf i'n argraffu *pethe* a *pethau* er mwyn rhoi awgrym i'r actorion. Yr hyn y dymunwn i ei wneud yw sgrifennu'r confensiwn llenyddol yn gyson bob amser, gan fod yn gadarn hyderus y cawn i actorion a chanddynt y diwylliant i wybod sut y mae llefaru Cymraeg yn naturiol gain. Gan na cheir hynny oni chaffer theatr a choleg drama Cenedlaethol, ni allaf ond cymrodeddu heb falio am gysondeb. Nid yw darlith G. J. Williams yn sôn am rhuthmau siarad mewn drama. Ni ellir trafod y ffurfiau *cwbl* a *cwbwl*, *bob un ohonyn* a *bob un ohonyn nhw*, a dal fel y gweir fod un yn gywir a'r llall yn anghywir. Mae'r peth yn llwyr ddibynnu ar ruthm y frawddeg lafar yn y dialog, ai ar frys ynteu dan dindroi y bo'r ymadrodd, ar angerdd neu bwyslais neu anadliad. Nid mater o gywirdeb gramadeg mohono un dim. Mater dramatig. Y mae pob drama-ydd, mi dybiaf i, yn dweud ei linellau wrtho'i hunan wrth gyfan-soddi, yn eu profi ar ei glust yn union megis wrth gyfansoddi cywydd neu delyneg rydd. Rhan o'r frawddeg, rhan o'r rhuthm, rhan o'r symud ar y llwyfan, yw pob gair unigol, a bydd ffurf y gair, ai epenthetig ai arall, ai llawn ai talfyredig, yn dibynnu nid ar reol neu gywirdeb honedig, ond ar lif yr actio a'r dweud, ar chwerwder neu angerdd neu goegni neu brofòc y sgwrs.

Yn 1962 y sgrifennwyd *Problemau Prifysgol.* Digrifwch ysgafn sydd ynddi, heb ond ychydig o ddychan. Nis rhoddwyd nac ar lwyfan na ar sgrin deledu. Efallai mai hynny sydd orau. Mae'n haws lawer i actorion Cymraeg gyflwyno trasiedi neu ddrama ddifrifol. Y mae digrifwch yn dibynnu lawer rhagor ar dechneg effeithiol, ar ddisgyblaeth a phrofiad a chynhyrchu gwybodus a meistraidd. Heb hynny oll ni cheir mo'r hyn a alwaf yn arddull. Byddai'n fantais fod pob actor ac actores wedi cael peth hyfforddiant yn elfennau *ballet*. Mae'r symud ac amseriad pob symud mor bwysig. Mae'r llefaru mewn comedi yntau'n hawl-io traddodiad proffesiynol. Nid oes neb ohonom ni yng Nghymru erioed wedi gweld actio comedi hyd yn oed yn weddol dda. 'Does gennym ni na'r safonau na'r wybodaeth. Dyna'r pam nad yw beirniadaeth ar actio drama ddim hyd yn oed wedi cychwyn eto yn ein cylchgronau. Nid oes neb ohonom sy'n byw yng Nghymru neu a gafodd ei addysg yng Nghymru wedi gweld digon o actio a chynhyrchu o safon gydwladol i fedru meithrin barn. Llenydd-iaeth yw drama inni, neu bregeth.

Dyna'r pam y rhoddais i gymaint o gefnogaeth ag a fedrwn o 1960 ymlaen i Mr. Clifford Evans a Mr. Elidir Davies, a gafodd, y ddau gyda'i gilydd, artist o actor ac artist o bensaer theatr, y syniad o godi a sefydlu theatr cenedlaethol Cymreig yng Nghaerdydd cystal â'r goreuon yn Llundain neu Baris neu Fosco. Mi wn yn iawn mai rhyw ddwywaith y flwyddyn y byddai cwmni blaenaf y theatr hwnnw yn actio yn y Gymraeg,— o leiaf ar y cychwyn. Ond byddai cael hyd yn oed hynny yn Gymraeg yn rhoi inni safon newydd, delfryd newydd, gweledigaeth chwyldroadol. Canys y mae un peth sy'n anodd iawn, iawn i ni'r Cymry Cymraeg ei ddysgu, sef yw hynny, fod yr eilradd mewn celfyddyd—ym mhob celfyddyd—yn ddamnedigaeth. Ysywaeth yr ydym ni'r Cymry gan amlaf nid yn unig yn bodloni ar yr eilradd ond yn mynwesu'r eilradd, yn hapus gyda'r eilradd. Nid rhyfedd felly fod Cyngor Cymreig y Celfyddydau wedi ymegnïo dros gyfnod o saith mlynedd i rwystro delfryd Clifford Evans. Ond mi wn i hyn ac fe'i dywedaf yn awr er tystiolaeth i'r dyfodol: buasai celfyddyd y theatr yng Nghymru ar ei mantais yn sylweddol pe na buasai Cyngor Cymreig y Celfyddydau o 1960 hyd at Ionawr 1968.

PROBLEMAU PRIFYSGOL

Comedi ysgafn mewn dwy act.

Y PERSONAU (yn nhrefn eu hymddangos):

GWEN

HARRI

SARA ROGER

SYR GAMALIEL PRYS

PAUL ROGER

FFIORETTA DAVIES

SAM

Ystafell sy'n fath o *buffet* preifat y tu cefn i neuadd ddawns.
Drws i'r tu allan ar y dde.   Drws i ystafell wisgo a chegin ar
y chwith.   Bwrdd hefyd ar y chwith ac arno gwpanau, gwyd-
rau, siwgiau. Y mae ychydig gadeiriau esmwyth yma ac acw.
Drws yn y cefn i'r neuadd ddawns, drws deuddarn sy'n agor-
ed yn awr a gwelir pobl ifainc yn eu gwisgoedd ffurfiol-hwyr-
ddydd yn dawnsio.   Dawnsia dau ohonynt i mewn i'n hystaf-
ell ni, sef Harri, llywydd y Gymdeithas Gymraeg, a Gwen
is-lywydd Undeb y Myfyrwyr.   Safant.   Mae'r drws yn cau
ar y dawnswyr.

HARRI: Gwell na'r disgwyl?
GWEN: Dawns orau'r tymor.
HARRI: Dawns y Gymdeithas Gymraeg?
GWEN: Od?

11

HARRI:	Rhyfeddod.
GWEN:	Pam?

(Symudant tua'r bwrdd)

HARRI:	Diod?
GWEN:	'Does dim.
HARRI:	Wel,coffi neu lemonêd?
GWEN:	Pop.
HARRI:	'Does dim pop. Jwg, nid potel. *(gan ei ddangos)*
GWEN:	Gwlyb?
HARRI:	Digon posib...Ydy, mae'n wlyb.
GWEN:	Gwlych?
HARRI:	Gwych. *(Mae yntau'n tywallt diod i wydrau)*
GWEN:	Gwich!
HARRI:	Slàinte! *(yfant)*
GWEN:	Wel, pam?
HARRI:	Pam be'?
GWEN:	Pam y synnu am mai heno yw dawns orau'r tymor?
HARRI:	Y Gymdeithas Gymraeg?
GWEN:	Ishmael?
HARRI:	Heb neb yn medru'r Twist.
GWEN:	'Fedra inne mo'r Twist.
HARRI:	A chithau'n gneud gwyddoniaeth!
GWEN:	'Rwy'n hoffi gwyddoniaeth.
HARRI:	Cymraes?
GWEN:	'Chaiff Cymraes ddim gwneud gwyddoniaeth?
HARRI:	Ddim heb droi'n Sais, neu'n Saesnes.
GWEN:	Wrth gwrs. Fedrwch chithe ddim graddio'n y Gymraeg heb Saesneg.
HARRI:	'Rydach chi bron â bod yn genedlaetholreg.
GWEN:	Schizophrenia yw cyflwr normal pob Cymro yn y Brifysgol.
HARRI:	Ond yn Adran y Gymraeg.
GWEN:	Adran y Gymraeg? Plant bach yr ysgol Sul wedi colli'u ffordd a'u cael eu hunain mewn siop betio,— dyna'r adran Gymraeg.
HARRI:	Sigaret?
GWEN *(gan gymryd un)*:	
	Os gwelwch chi'n dda.

HARRI *(wedi cynnau):*
   'Doeddech chi ddim yn arfer smocio.
GWEN: Dechre ar ôl cael sicrwydd meddygol ei fod e'n berig.
HARRI: Lol! 'Wela i ddim gwerth mewn perig er mwyn perig.
GWEN: 'Wela i ddim gwerth mewn perig *ond* er mwyn perig.
HARRI: Merch fach o'r wlad am wneud campau!
GWEN: Rhaid cael halen i roi blas ar fyw.
HARRI: Ond y mae blas ar fyw. Yma; heno.
GWEN: 'Fyddwch chi ddim yn syrffedu?
HARRI: Ar y coleg?
GWEN: Wel...ar fod mor gysurus arnon-ni yn ein hoed ni?
HARRI: Sut?
GWEN: Grantiau i bopeth. Prydau bwyd yr hostel mor sicr
   â'r haul. Byw fel cyw iâr mewn bocs. Heb ias
   perigl fyth!
HARRI: Oes perig i chi fethu'r arholiad?
GWEN: Damia'r arholiad! Dawns sy heno. 'Fydda i fyth
   yn colli dawns.
HARRI: Am fod dawns yn berig?
GWEN: O am fywyd o brofiadau ac nid astudio!
HARRI: Ni sy'n studio barddoniaeth fedr ddeud hynny. Prof-
   iadau ydy stwff barddoniaeth.
GWEN: Profiadau ail-law, profiadau pobl erill. Mae gwydd-
   oniaeth yn disgwyl tuag yfory, am brofiadau newydd,
   atebion newydd.
HARRI: Mewn test-tiwb.
GWEN: Gall test-tiwb fod yn beryglus, rhoi ias i chi. O
   flodyn y dyffryn, deffro!
HARRI: Mae rhagor rhwng profiadau ac arbrofion. Arbrof-
   ion sy gan y gwyddonydd, yr artist piau profiadau.
GWEN: 'Fedrwch chi bobl llenyddiaeth fyth weld fod arbraw
   yn brofiad.
HARRI: Fod gwyddoniaeth yn art?
GWEN: Falle. Hyd yn oed mewn byw bob dydd, wrth edrych
   ar bobol o'n cwmpas ni, mi fydda i'n dyheu am ar-
   brofi weithiau. Fyddwch chi?
HARRI: 'Wn i ddim. Sut?
GWEN: Rhoi dyn mewn test-tiwb. Gweld ei adwaith e.
   'Wyddoch chi?

13

HARRI:	Test-tiwb?
GWEN:	Picil.
HARRI:	Pwy?

GWEN (*gan chwerthin*):

Beth wn i? Eich Athro Cymraeg chi?

HARRI: Roger? Wel, 'welais i 'rioed mono fo'n dawnsio tan heno. 'Wyddwn i ddim y gallai o ddawnsio. 'Roeddwn i'n tybio mai'r Gogynfeirdd oedd ei unig ddiddordeb o.

GWEN: Beth yw'ch diddordeb chi?

HARRI: Ar hyn o bryd, chi!

GWEN: Fy nghael innau mewn test-tiwb? ... neu mewn cywydd?

HARRI: 'Ga' i'ch cusanu chi, Gwen?

GWEN: O am fywyd o brofiadau *ac* arbrofion.

(*Y mae ef yn ei chusanu*)

HARRI: Er mwyn hynny y daru 'mi'ch arwain chi yma.

GWEN: Er mwyn hynny y des i.

HARRI: 'Chefais i ddim cusan yn ôl.

GWEN: 'Ofyn'soch chi ddim am hynny.

HARRI: Oes rhaid gofyn?

GWEN: Teirgwaith.

HARRI: Mi ofynna i gwestiwn gynta.

GWEN: Arholiad?

HARRI: Personol.

GWEN: Perigl felly.

HARRI: 'Rydyn ni'n 'nabod ein gilydd ers tair blynedd, Gwen.

GWEN: Dymor hud a miri haf!

HARRI: A leni dyma chi'n is-lywydd y myfyrwyr a minna'n llywydd y Gymdeithas Gymraeg.

GWEN: Harri bach, pregeth angladdol sy gennych chi?

HARRI: Ofn gofyn 'y nghwestiwn yn rhy sydyn.

GWEN: Oes 'na ragor o'r gwlych 'na?

HARRI: Lemonêd?

GWEN: Diolch.

HARRI: Gwen, mae'r proff yn deud y dylwn i fod yn siŵr o'r dosbarth cynta yn yr arholiad.

GWEN: Roger? Mi ddylai wybod.

14

HARRI:	Nid hynny'n unig. Mae siawns go dda y ca'i *fellowship* y Brifysgol wedyn. Gwerth chwe chant y flwyddyn.
GWEN:	Bron cystal â chyflog darlithydd.
HARRI:	'Rydw i'n mynd i weithio fel y cythral nes cael cadair yn y Brifysgol.
GWEN:	Yr Athro Harri Edwards, D. Litt., Wales.
HARRI:	D. Litt. Cymru.
GWEN:	'Does gan Gymru ddim prifysgol. *Wales, Wales,* Pleidiol wyf i *Wales.* Dyna arwyddair y Brifysgol. A dyw hynny ddim i bara.
HARRI:	Rwan, Gwen, 'gawn ni briodi ar unwaith ar ôl graddio a mynd i Iwerddon am ein mis mêl?
GWEN:	Iwerddon?
HARRI:	Galway a'r ynysoedd, y Gaeltacht.
GWEN:	I bysgota?
HARRI:	Nage, imi gael meistroli'r Wyddeleg. Ffordd braf i lenwi'r amser.
GWEN:	Mi fyddai hynny'n help,—ar fis mêl.
HARRI:	Drychwch, Gwen, 'does dim perig o gwbl. 'Rydw i am gadair. Gellwch fentro'n ddiogel.
GWEN:	Siŵr?
HARRI:	Gallwn briodi drannoeth y seremoni graddio.
GWEN:	Harri 'rw i reit hoff ohonoch chi. Mae gennych chi ddull mor wreiddiol wrth garu. Ond na, mi fyddai'n well inni beidio â phriodi.
HARRI:	Wrth gwrs y priodwn ni. 'Chymera i ddim na.
GWEN:	'Rych chi'n dweud nad oes dim perig?
HARRI:	Fel priodi'r banc. Tair mil y flwyddyn cyn deugain oed. Minimwm.
GWEN:	Mi fyddai'n well gen i farw heno.
HARRI:	Mi fyddai'n well i chi farw heno na 'ngwrthod i. 'Rydw i o ddifri, Gwen.
GWEN:	Gwrandewch, Harri. Petaech chi wedi dweud, Gwen, dewch inni briodi fory, yr wythnos nesa, cyn yr arholiad, taflu'r arholiad i'r cŵn, mentro colli'ch *first,* colli'r *Fellowship,* damnio'r canlyniadau—
HARRI:	Wel?
GWEN:	Mi faswn wedi cytuno.

HARRI:	'Rwyt ti'n wallgo.
GWEN:	Er mwyn yr hwyl. Mi fyddai'n profi'n bod ni'n ifainc, ein bod ni'n fyw, yn caru—
HARRI:	Mi fyddai'n profi 'mod i'n edrych arnoch chi fel edrych ar faw.
GWEN:	I mi, mi fyddai'n profi'ch bod chi'n cyfri popeth arall yn faw ond fi.
HARRI:	Dinistrio'ch bywyd chi a 'ngyrfa innau?—
GWEN:	Ie falle. Ias perigl.
HARRI:	Dyna ydy caru?
GWEN:	Ie, dyna yw caru. 'Dyw e ddim wedi gwawrio arnoch chi?
HARRI:	Nid dyna fy syniad i am garu.
GWEN:	Nid dyna'ch syniad chi am fyw. Wyddoch chi beth yw'r peth brafia yn y byd heddiw?
HARRI:	I chi...Dawnsio?
GWEN:	Dawnsio, os mynnwch chi, ond dawnsio gan wybod fod y llongau Polaris dan y dŵr ac y gall rhyw lanc go dwp wedi blino, neu wedi cael dropyn gormod o fodca, wneud camgymeriad —
HARRI:	Nonsens, Gwen, nonsens! Dydy hynny'n ddim help i fyw. Mae byw yn gofyn am dipyn o sicrwydd —
GWEN:	O'r arswyd! Sicrwydd!
	(Daw Mrs. Roger o'r chwith gyda phlat o frech-danau)
SARA:	Helo! Seibiant?
HARRI:	Dwad yma am ddiod, Mrs. Roger.
SARA:	Gawsoch chi beth?
HARRI:	Diod lemon.
SARA:	Doedd o ddim yn chwerw?
GWEN:	Roedd e reit ddiogel, Mrs. Roger.
SARA:	Felly! Diflas, ie?
GWEN:	O! Sut y gwyddoch chi?
SARA:	Fod lemonêd yn ddiflas?
HARRI:	Dydy o ddim o gwbl, Mrs. Roger. Hyfryd.
SARA:	Ond y mae diogelwch?
GWEN:	Ie, dyna fe.
SARA:	Nes ei golli.

16

GWEN: Wela' i, Mrs. Roger. Mi fuoch chi drwy'r rhyfel. Fuon-ni ddim. Fedrwn ni fyth ddeall ein gilydd.

SARA: Helpu i dorri brechdan yn y ffreutur rydw i.

HARRI: Ddylech chi ddim!

GWEN: Oes eisiau rhagor o help, Mrs. Roger?

SARA: Mae Miss Davies wedi addo, a bod galw.

HARRI: Yr adran Eidaleg?

GWEN: Mae hi'n dawnsio ar hyn o bryd.

SARA (yn ddidaro)
    Efo'r Athro?

GWEN: Gyda Harri yma dro'n ôl.

HARRI: Naddo wir!

GWEN (sotto voce):
    Paid â bod yn dwp.

HARRI: O! do wrth gwrs. Cyn i chi lyncu fy holl sylw i. Mi anghofiais.

GWEN: Mae nifer o'r staff yn dawnsio. Fe ddylech chithe.

SARA: Welsoch chi'r Prifathro?

HARRI: Pwy?

SARA: Syr Gamaliel?

HARRI: Mae o mewn seilam yn Llundain.

GWEN: Private nursing home.

SARA (gan drefnu'r bwrdd):
    Mae o'n ôl. Mae'n addo bod yma.

HARRI: Dawns y Gymdeithas Gymraeg? Y Prifathro?

GWEN: Pam lai, ac ynte'n ôl.

HARRI: Welais i rioed y Prifathro mewn dawns.

GWEN: Am nad ych chi fyth yn mynd ond i ddawns y Gym-deithas Gymraeg.

HARRI: Y ddawns gyd-golegol!

GWEN: Do, fe fuoch yn honno. Ond yn Aberystwyth.

HARRI: Mrs. Roger, pam mae o'n dwad heno?

SARA: Wn i ddim pam y dois i fy hunan.

HARRI: Gwraig yr Athro Cymraeg! Chi ddylai fod ein prif westai ni.

SARA: Dwad i helpu'r merched wnes i, nid i fod yn westai nac i ddawnsio.

GWEN: Ond i edrych ar ôl yr Athro, Mrs. Roger?

HARRI: Mae'r Athro fel cneuen o iach, diolch fyth.

17

GWEN: Ydy e mor ddiniwed â'i ddisgyblion?

HARRI: Un ddrwg ydy hon, Mrs. Roger. Wyddoch chi be' ddwedodd hi am adran Gymraeg y coleg?

SARA: Y staff neu'r efrydwyr?

GWEN: Nid y staff, ta beth. Mae'r staff i gyd yn flaenoriaid diogel.

HARRI: Wel, gallwn ddeud hyn: does dim adran arall ar ochr y celfyddydau yn cyhoeddi cymaint o waith ymchwil.

SARA: Does dim rhaid i'r lleill.

HARRI: Pam?

GWEN: Am fod llai o gadeiriau Cymraeg a'r cystadlu'n fwy ffyrnig. Ie, Mrs. Roger?

SARA: Falle fod ysgolheictod heddiw wedi disodli pregethu fel y gwaith mwya parchus yng Nghymru Gymraeg.

GWEN: Dyna chi, Harri!

HARRI: Gafodd yr Athro ei radd cyn gofyn i chi briodi, Mrs. Roger?

SARA (wedi eiliad o chwerthin):
Anodd ateb...Ofynnodd o ddim.

GWEN: Be?

SARA: Rhoi notis am ein dyweddïad ni yn y papur wnaeth o... Ddaru minnau ddim gwrthwynebu.

HARRI: Papur Cymraeg?

SARA: Debyg iawn.

GWEN: Bulletin of the Board of Celtic Studies?

(Daw Syr Gamaliel Prys i mewn o'r stryd. Cot fawr dros ei siwt ginio; hapus fawreddog)

SARA: Syr Gamaliel!

SYR G: My dear Mrs. Roger!

SARA: Wedi gwella'n llwyr?

SYR G: Gorffwys hyfryd. Hoe. Popeth yn iawn.

SARA: Pa bryd y daethoch chi'n ôl?

SYR G: Cyrraedd neithiwr gyda'r trên. Gwaith yn galw.
When duty whispers.

SARA: Dyma Miss Gwen Macduff, is-lywydd y myfyrwyr.

GWEN: Croeso'n ôl, syr, ac iechyd da.

SARA: Mr. Harri Edwards, llywydd y Gymdeithas Gymraeg.

18

SYR G: Mae'n dda gen i weld y Cymry Cymraeg. **Elfen**
          ddymunol ym mywyd y Brifysgol.
HARRI: Mi gewch groeso mawr yn y neuadd, syr. Doedd neb
          yn disgwyl y fath anrhydedd.
SYR G: Diolch, machgen i. Ie'r Gymdeithas Gymraeg. Rhaid
          i chi ddal ati, cofiwch chi. Mae'r elfen ddwy-ieithog
          yma'n rhoi tipyn o gymeriad arbennig i'r colegau yng
          Nghymru, fel nad ydyn-ni ddim yn union yr un fath
          â phob *red-brick*. Rwy'n dal erioed mai tipyn o am-
          rywiaeth lliw yw angen pennaf yr holl *provincial*
          universities. A dyna gyfraniad y Gymraeg. Dych
          chi ond lleiafrif, wrth gwrs, ond mae na le i'r Cymry
          dwyieithog. Dros dro, o leia...A'r athro? Proffeswr
          Roger, ble mae yntau?
SARA: Yn y ddawns, Syr Gamiliel. Ewch chi ato? Byddai'n
          well gadael eich cot. Gymerwch chi ofal ohoni, Miss
          Macduff?
GWEN: Fe'i dodaf yn y clôcrwm.
SARA: Dyna fyddai orau.

          (*Mae'r Prifathro'n rhoi ei waled ym mhoced ei got
          a'i rhoi iddi*)

SYR G: Fydd hi'n saff yno?
GWEN: Rwy'n gadael fy satsiel inne yno. Mi fyddan reit
          saff.

          (*Exit Gwen*)

HARRI: Ga i ddeud wrth yr Athro'ch bod chi yma, syr?
SYR G: Na, machgen i. Mi arhosa i yma i orffwys am ych-
          ydig a dod i mewn atoch wedyn.

          (*Exit HARRI i'r ddawns a'r drws agored yn y
          cefn yn rhoi cip ar ROGER a FFIORETTA yn
          dawnsio*)

SYR G: Ydy'r stafell yma'n breifat, Mrs. Roger.
SARA: Stafell i'r staff a swyddogion y ddawns. Mae'r *buffet*
          cyffredin y pen arall i'r neuadd.
SYR G: Da iawn. 'Roeddwn i'n gobeithio eich gweld chi'n
          breifat am ychydig funudau.
SARA: Fy ngweld i?

19

SYR G:	Er eich mwyn chi y des i yma, Mrs. Roger. Er eich mwyn chi y des i'n ôl i Bowys.
SARA:	Cyn gwella, Syr Gamaliel? 'Ddaethoch chi'n ôl cyn gorffen eich triniaeth?
SYR G:	Na na na, peidiwch â gofidio dim. Fe wnaeth yr awgrym les i·mi.
SARA:	Awgrym? 'Rois i 'rioed awgrym i chi am ddim.
SYR G:	Naddo, nid chi, nid chi o bawb. Ond mi gefais i awgrym.
SARA:	Awgrym i ddychwelyd?
SYR G:	Am fod fy angen i yma. Wyddoch chi, mae'n beth od i ryfeddu, ond mae'n wir nad anfantais i gyd i ŵr yn fy swydd i yw ei fod wedi ei fagu ar aelwyd Gymraeg.
SARA:	Syr Gamaliel! 'Rydych chi'n siarad fel cenedlaetholwr.
SYR G:	Os gwelwch chi'n dda, Mrs. Roger, peidiwn â defnyddio geiriau budron, brwnt. 'Does dim rhaid inni fod yn ffiaidd. Wedi'r cwbl, rŷn ni'n trafod prifysgol, *universitas*.
SARA:	Ac aelwyd **Gymraeg?**
SYR G:	Aelwyd ymneilltuol. Wrth gwrs yr wyf i wedi mynd yn ôl at yr Hen Fam, ond y mae un elfen yn y traddodiad ymneilltuol Cymreig sy'n bwysig i'r coleg yma ym Mhowys ac yn wir i'r brifysgol i gyd.
SARA:	Sôn am yr iaith Gymraeg yr ydych chi?
SYR G:	'Chawsoch chi ddim addysg prifysgol, Mrs. Roger?
SARA:	Dim o gwbl.
SYR G:	'Roeddwn i'n amau hynny. Mae'n hawdd dweud.
SARA:	'Roeddech chi'n sôn am aelwyd Gymreig?
SYR G:	Ie, am y parch sy gennym ni'r Cymry i ymddangosiad gweddus, i burdeb ac enw da. Wrth gwrs y mae'r prifysgolion yn Lloegr wedi symud ymhell oddi wrth safonau oes Victoria; hyd yn oed Rhydychen ysywaeth. Ond, beth bynnag sy'n bosib yn Rhydychen y mae Prifysgol Cymru yn para'n foesol lân. 'Fedrwn ni ddim gadael i ddim anweddus, dim sy'n ymylu ar—

wel, ar sgandal, gael ei gysylltu â staff ein colegau ni yng Nghymru.

SARA: Yn y gwasanaeth suful yr oeddwn i cyn priodi, Syr Gamaliel.

SYR G: Ond y mae gwasanaeth suful ei Mawrhydi mor barchus â'r *University of Wales*.

SARA: O na! Yn y gwasanaeth suful yr unig beth amharchus yw hel clecs.

SYR G: Ga i ofyn cwestiwn braidd yn bersonol i chi, Mrs. Roger?

SARA: Wrth gwrs. Yn y *Ministry of Pensions* yr oeddwn i'n glerc. Cwestiynau personol oedd ein holl gwestiynau ni.

SYR G: Mrs.Roger, 'gawsoch chi lythyr neu lythyrau di-enw y pythefnos dwaetha 'ma?

SARA: Syr Gamaliel! ...Wrth gwrs mi wyddwn eich bod chi'n sâl. 'Feddyliais i 'rioed y gwnaech chi beth fel yna.

SYR G: Beth?

SARA: Y ddau lythyr di-enw?

SYR G: **Beth?**

SARA: Chi sgrifennodd nhw?

SYR G: Beth?...Fi?... 'Rych chi'n meiddio fy sarhau i fel yna! 'Wyddoch chi wrth bwy 'rych chi'n siarad? 'Ydych chi'n cofio fy swydd i? Yn cofio fod Cyngor y coleg yma wedi fy ngalw i yr holl ffordd o Hong-Kong i fod yn Brifathro ar y coleg technegol hwn a'i godi'n un o golegau'r *University of Wales?* Nad oedd neb oll drwy Gymru gyfan yn abl i'r swydd?

SARA: 'Ydy hynny'n rhoi hawl i chi i anfon llythyrau di-enw?

SYR G: Y wraig gynddeiriog! 'Wyddoch chi fod gennym ni gyfraith athrod ym Mhrydain Fawr? Y gallwn i'ch dwyn chi o flaen llys barn? Eich tewi chi am byth a'ch dinistrio chi?

SARA: Am ofyn cwestiwn personol? Neu am ddeud y gwir?

SYR G: Am ddweud fy mod i, cyn-is-ganghellor yr *University* yn anfon allan lythyrau di-enw ynghylch ymddygiad aelod o'r staff.

SARA: Felly fe wyddoch beth oedd yn y llythyrau?

21

SYR G: Siŵr iawn fy mod i'n gwybod. Dyna pam y des i'n ôl ar frys.

SARA: Syr Gamaliel, 'dd'wedais i ddim wrth neb byw beth oedd yn y llythyrau. 'Ddwedais i ddim wrth fy ngŵr fy hunan.

SYR G: 'Ddwedsoch chi ddim wrth yr athro.

SARA: Fo ydy'r ola y dywedwn i wrtho.

SYR G: Os felly bydd yn rhaid i mi ddweud wrtho...Nid bob amser y mae dyletswydd yn bleser.

SARA: Ceisio 'ngyrru i i edliw i 'ngŵr ei fod o'n anffyddlon imi, ai dyna oedd amcan y llythyrau?

SYR G: Cwestiwn diddorol, Mrs. Roger. Fedra i mo'i ateb e. Mi fyddai'n rhaid nabod awdwr y llythyrau er mwyn dyall ei amcan e.

SARA: Sut y gwyddech chi felly imi dderbyn llythyrau di-enw?

SYR G: Wraig fach, chi dd'wedodd. Mi ofynnais i chi ac fe ateb'soch do.

SARA: Ai chi neu fi sy'n drysu, dwedwch? Pam y gofyn-soch chi? Sut y gwyddech chi gynnwys y llythyrau?

SYR G: Gan bwyll, Mrs. Roger, gan bwyll. Dyna chi'n dechrau dod at eich coed. O ble y daeth eich llythyr cynta chi? O Fangor?

SARA: 'Rarswyd annwyl! Ie, o Fangor.

SYR G: A'r ail lythyr, llythyr heb stamp arno, 'ntefe? Bu'n rhaid i chi dalu pum ceiniog i'r postmon wrth y drws?

SARA: Do! Am nad oedd dim stamp arno!

SYR G: O Aberystwyth?

SARA: Sut y gwyddoch chi? Cardi ydych chithau?

SYR G: Sylwch, Mrs. Roger, nid oddi yma y postiwyd y cynta na'r ail. Nid o Lundain chwaith, ac yn Llundain yr oeddwn i tan ddoe. Bangor gynta, wedyn Aberyst-wyth. Ac erbyn cyrraedd Aberystwyth 'doedd gan awdwr y llythyrau ddim digon o bres i dalu am ddau stamp.

SARA: Dau stamp?

SYR G: Un i'ch llythyr chi ac un i'r llythyr ataf innau.

SARA: Mi gawsoch chithau lythyr?

SYR G:	Dau. Un o Fangor a'r ail heb stamp o **Aberystwyth**.
SARA:	Wedi eu teipio?
SYR G:	Hawdd dyall y peth.
SARA:	'Dydw i'n dallt dim oll arno.
SYR G:	*My dear Doctor Watson!* 'Roeddwn i'n amau pwy allai fod wedi gyrru'r llythyrau hyd yn oed yn Llundain. Ond yr oeddwn i am sicrwydd eich bod chithau wedi cael dau lythyr tebyg.
SARA:	Ond Bangor ac Aberystwyth?
SYR G:	Be' wnewch chi o hynny?
SARA:	Y ddwy dre enwoca am eu clecs yng Nghymru gyfan.
SYR G:	Chwarae teg, nid o'r colegau diwinyddol y daeth y llythyrau.
SARA:	Sut y gwyddoch chi?
SYR G:	Un o'n hefrydwyr ni bostiodd y llythyrau.
SARA:	O Fangor ac Aberystwyth?
SYR G:	Siŵr iawn. Yr wythnos gyd-golegol. Dyna sut na fedrai e ddim fforddio stamp erbyn cyrraedd Aberystwyth.
SARA:	Syr Gamaliel, 'wela i ddim ôl drysu ar eich meddwl chi.
SYR G:	'Doeddwn i'n cwyno dim ar fy meddwl. Gwendid sy'n perthyn i'r staff yw hynny. Ond 'fydda i fyth yn mynd ar gyfyl stafell gyffredin y staff. 'Rŷn ni'r prifathrawon yn ddosbarth ar wahan.
SARA:	Wrth gwrs. *County Club.* 'Does dim rhyfedd i'ch nerfau chi dorri.
SYR G:	Pan ddaeth yr ail lythyr yma, mi fendiais i fel y boi. Sgandal ymhlith aelodau'r staff? Ddim byth tra bydda' i'n brifathro.
SARA:	Felly 'rydych chi'n derbyn tystiolaeth llythyrau dicnw?
SYR G:	'Does fyth fwg heb dân. A phwy wŷr yn well na'r efrydwyr? 'Rych chithau'n gwybod fod y cyhuddiadau 'ma'n wir?
SARA:	Mwy na thebyg. Maen' nhw'n rhy faleisus i beidio â bod yn wir.
SYR G:	Beth ych chi'n mynd i'w wneud, Mrs. Roger?

23

SARA: Fy ngŵr i ydy o.

SYR G: 'Rown innau'n rhyw feddwl hynny.

SARA: Mi losgais i'r ddau lythyr ar unwaith. Beth ydach chi am ei wneud, Syr Gamaliel?

SYR G: O! yn ffodus mae gen i fy swydd. Amddiffyn y brifysgol, enw da'r brifysgol, moesau'r brifysgol. Mae 'nyletswydd i'n eglur.

SARA: Sefydliad ydy'r Brifysgol. Sefydliad ydy'r coleg yma, math o beiriant—

SYR G: Sefydliad yr wyf innau'n gyfrifol amdano, am ei enw da, am ei gadw heb niwed i'w gymeriad —

SARA: Syr Gamaliel, mae'n well niweidio sefydliad, hyd yn oed enw da'r sefydliad, na brifo pobol, na brifo dyn. 'All sefydliad ddim teimlo, 'all sefydliad ddim chwerwi am oes, 'does gan sefydliad ddim gwraig a phlant—

SYR G: Fe fedrwn ni sy'n perthyn i'r sefydliad ddiodde, bawb ohonon-ni. Mae peth fel yma'n union yr un fath â'r frech wen, mae e'n heintus. Meddyliwch am yr effaith ar yr efrydwyr, gweld un o'u hathrawon nhw, yn enwedig yr athro Cymraeg, yn anffyddlon i'w wraig. Yma, yn y coleg! Gyda merch sy'n ddarlithydd! Wedi ei geni yn yr Eidal! Cymeriad mewn Opera! Mae'r peth yn anhygoel! yn ddigwilydd! Ystyriwch yr esiampl! 'Wyddoch chi fod amryw o'n hefrydwyr ni yn priodi ar eu grantiau? Be' ddwedai'r Cynghorau Sir?

SARA: 'Rydw innau'n briod.

SYR G: Chi? Chi?...Gwarchod pawb, ydych! 'Rown i wedi anghofio. Paratoi f'anerchiad i Gyngor y Coleg yr oeddwn i.

SARA: 'Fedrwch chi ddim mynd at Gyngor y Coleg ar garn dau lythyr heb enw wrtho.

SYR G: Ac un o'r ddau heb stamp arno chwaith...Ie, 'rwy'n cytuno, Mrs. Roger, rhaid chwilio am ragor o dystiolaeth. Rhaid cael profion, profion—

(*Egyr drws y ddawns yn y cefn a daw PAUL ROGER a FFIORETTA DAVIES i mewn atynt.*

24

*Mae hi'n ferch hardd a'i ffrog yn feiddgar a chel-
fydd syml)*

PAUL: Syr Gamaliel! . . . Fel afal Awst!

SYR G: Noswaith dda, Roger......*How do you do, My dear
Miss Davies.*

FFIOR: *Che sorpresa, caro rettore!*

PAUL: Wedi gwella'n llwyr?

SYR G: *When duty whispers* . . . Rhaid i ddyn fod yn abl . . .
Dawns y Gymdeithas Eidaleg?

FFIOR: Y gymdeithas Gymraeg, *signorone.*

SYR G: Maddeuwch i mi. Debyg iawn. Dyna pam y mae
Mrs. Roger yma.

FFIOR (*gan gusanu Sara'n frwd*): *Carissima Sara!*

SYR G: 'Fyddwch chi'n mynd i ddawns y Gymdeithas Eidal-
eg, Mrs. Roger?

PAUL: 'Dydy fy ngwraig i ddim yn aelod o'r staff, Syr
Gamaliel.

SYR G: A! Mae rhai gwragedd athrawon fwy ar y staff na'i
gilydd.

FFIOR: Mae'r Cymry Cymraeg ar y staff yn dod i ddawns y
Gymdeithas Gymraeg i ddangos eu hochr.

SYR G: Ie, mae'n siŵr nad oes dim anweddus mewn dangos
ochr.

SARA: 'Does dim o le ar eich ffrog chi, Ffioretta.

FFIOR: 'Gawsoch chi fy llythyr i, *caro rettore?*

SYR G: O Aberystwyth?

FFIOR: Ie. 'Roedd gennyn ni gyfarfod o'r bwrdd arholwyr
yno, a mi es yn y car a'i bostio fo yno. Ond fe'i
cawsoch yn ddiogel?

SYR G: Heb stamp arno?

FFIOR: 'Rois i ddim stamp arno? *Mea culpa, mea culpa,
signorone!* Mae'n wir ddrwg gen i. Yng nghyfarfod
yr arholwyr y sgrifennais i'r cyfeiriad. Ar frys, wel-
wch chi. Rhaid 'y mod i wedi rhedeg i'r post ac
anghofio'r stamp. O diar, 'fu'n rhaid i chi dalu'r
ecstra?

SYR G: Pum ceiniog.

FFIOR: A chithau mewn ysbyty! O, Syr Gamaliel! 'Does

25

	gen i mo 'mhwrs ar hyn o bryd. Ond rhaid i chi adael imi dalu'r pum ceiniog.
SYR G:	Peidiwch â thrafferthu, *my dear lady*. 'Roedd y wybodaeth werth pum ceiniog.
FFIOR:	Y wybodaeth? 'Mod i'n ceisio am swydd arall? Wel, wir!
SYR G:	A beth am Mrs. Roger?
FFIOR:	**Mrs. Roger?**
SYR G:	'Wnewch chi dalu iddi hithau?
FFIOR:	Talu i Mrs. Roger?
SYR G:	Iawn.
FFIOR:	Talu iawn!...O Paul! Mae'r cwbl yn hysbys!
PAUL:	Syr Gamaliel, 'rydych chi'n ymyrraeth mewn mater personol —
FFIOR:	Ga'i ofyn i chi, syr, sut y gwyddoch chi? Pwy dd'wed-odd? Pa hawl sy—
SYR G:	Chi dd'wedodd yn eich llythyr —
FFIOR:	Fi!
PAUL:	Ffioretta! ...Ddaru chi?
SARA:	Mae hyn yn union fel canu rondo.
SYR G:	Mrs.Roger, mi dd'wedais i eisoes. Rhaid imi yn rhinwedd fy swydd —
FFIOR:	Wirionedd i! Oni bai 'mod i'n gwybod i chi fod dan ofal doctor —
SYR G:	Mi fûm i mewn ysbyty preifat yn dioddef gan yr eryr. Mi fûm i'n yfed chwarter pwys o hufen y dydd ac yn gorffwys. Dyna'r driniaeth. Buoch chithau, amryw ohonoch, mor garedig â gobeithio na ddown i fyth yn ôl.
PAUL:	'Does ryfedd i chi fagu tagell, Syr Gamaliel.
SYR G:	Ond wedi cael y llythyr yma o Aberystwyth,—o Aber-ystwyth, os gwelwch chi'n dda,—mi ddois yn ôl ar f'union.
FFIOR:	Ond pa eisiau, Syr Gamaliel, pa eisiau? Y cwbl y gofynnais i amdano oedd llythyr o gymeradwyaeth. Gallech ei anfon drwy'r post.
SYR G:	Cymeradwyaeth? Cymeradwyaeth gen i? yma, yn y Brifysgol, *The University of Wales?* Miss Davies,

'fedra' i ond gobeithio nad yw pethau ddim wedi mynd yn rhy bell. Dyna'r rhan bwysicaf o waith prifathro, cadw enw da'r sefydliad a roddwyd i'w ofal, atal unrhyw sgandal —

FFIOR: Pum ceiniog, *caro rettore,* dim ond pum ceiniog!

SYR G: Mae'n werth aberthu llawer iawn er mwyn mygu sgandal. Rwy'n siŵr y bydd yr Athro Roger, sy'n aelod mor gyfrifol o *senatus* ein coleg ni, yn ategu hynny. Dyna'r pam y des i'n ôl, Miss Davies, er mwyn inni gael siarad am hyn yfory. Ac yn awr, Mrs. Roger, mi af i i'r neuadd i weld Cymdeithas Gymraeg y Coleg yn dawnsio. *Haec otia studia fovent...*
      (*ac exit i'r neuadd*)

FFIOR: *E matto! Matto! Imbecille!*

SARA: 'Does dim o le ar ei feddwl o.

FFIOR: Sara, 'rwy'n ceisio am swydd ym Mhrifysgol Llundain, a mi anfonais ato i Lundain i ofyn am lythyr o gymeradwyaeth ar gyfer y swydd.

SARA: 'Chafodd o mo'ch llythyr chi.

FFIOR: Ond mi glywsoch e'n dweud 'y mod i wedi anghofio'r stamp.

SARA: Cymysgu 'roedd o. Reit naturiol. Sôn am lythyr a gafodd o o Aberystwyth yr oedden-ni pan ddaethoch chithau a deud i chi anfon ato o Aberystwyth.

FFIOR: 'Gafodd o ddau lythyr o Aberystwyth?

SARA: Naddo, un. Heb enw wrtho.

PAUL: Llythyr di-enw?

SARA: Di-enw, di-stamp.

FFIOR: Pa bryd?

SARA: Echdoe.

FFIOR: Echdoe y postiais i fy llythyr.

SARA: Fe aeth yntau o Lundain cyn y post ddoe.

PAUL: Sut y gwyddoch chi?

SARA: Fo dd'wedodd.

FFIOR: Dweud be?

SARA: Iddo gael llythyr di-enw o Aberystwyth. Nid eich llythyr chi.

27

PAUL: Be' sy a wnelo hynny â Ffioretta?

SARA: 'Chlywsoch chi mono fo? Mae o'n well ei iechyd rwan nag y bu o er gadael Hong-Kong.

PAUL: Ond Ffioretta?

SARA: Wrth gwrs. Dyna sy wedi ei fendio fo.

PAUL: Ffioretta wedi ei fendio fo?

SARA: A chithau.

PAUL: Be' 'dych chi'n ei awgrymu?

SARA: Fod y prifathro wedi gwella ac wrth ei fodd yn paratoi adroddiad i gyngor y coleg.

FFIOR: Paul! 'Rwy'n gweld y cwbwl yn glir! *Un porco traditor!* Llythyr di-enw!

PAUL: I'r prifathro?

FFIOR: O Aberystwyth!

SARA: Heb stamp!

FFIOR: *Traditore!* Bradwr! Bradwr!

PAUL: Sara, ddwedodd y prifathro wrthych chi be oedd *yn* y llythyr di-enw?

SARA: Mae o'n awyddus iawn i fygu sgandal.

PAUL: Beth ydy'r cyhuddiad?

SARA: Chawsoch chi rioed lythyr di-enw, Paul?

PAUL: Naddo rioed; wrth gwrs. Pam? Gawsoch chi?

SARA: Yn y *Ministry of Pensions* yr oeddwn i cyn priodi.

FFIOR: Beth? Ydy hen bensiynwyr yn sgrifennu llythyrau di-enw?

SARA: Rhai. Hen bensiynwyr, gwragedd gweddwon, mam-au, cymdogion.

FFIOR: I ddweud beth?

SARA: I ddeud os oedd cymydog neu arall yn ennill chwe-ugain ar dro heb gydnabod hynny wrth godi pensiwn. Mae cenfigen yn amal yn achos.

PAUL: A malais. Ddylai neb roi coel arnyn nhw.

SARA: Mi ddysgais i un peth yn y Weinyddiaeth.

PAUL: Mai celwydda ydyn nhw i gyd.

SARA: Nage. Gan amla roedden-nhw'n gywir. Arf gorau malais ydy'r gwir.

PAUL: O! ... A'r llythyr yma at y prifathro? Ydych chi'n awgrymu ... ?

28

FFIOR:	*Caro amico,* tybed nad dweud wrth Sara nawr fydde ore? Fedrwn ni ddim mynd ymlaen fel yma.
PAUL:	Na, fedrwn ni ddim mynd ymlaen fel yma.
FFIOR:	Roedd yn rhaid i'r peth ddod i'r gole.
PAUL:	Beth oedd *yn* y llythyr di-enw, Sara?
SARA:	Wyddoch chi ddim?
FFIOR:	Gadewch i mi ddweud wrth Sara. Mae'n haws i mi. Dw i ddim yn perthyn fel chi.
SARA:	Mae hynny'n gysur inni'n dwy, Ffioretta.
PAUL:	Dwedwch a chroeso, os nad ydy hi'n gwybod.
SARA:	Mi wna i ngora i'ch helpu chi, Ffioretta.
FFIOR:	Ych chi'n deall, Sara, mae Paul a minne yn y coleg bob dydd, yn gorfod cyfarfod mor gyson —
SARA:	A chymaint o bethau gennych chi'n gyffredin —
FFIOR:	Ie, ie, llenyddiaeth, barddoniaeth,—
SARA:	Miwsig, ysgolheictod —
FFIOR:	Yr efrydwyr hefyd, *le vita intellettuale* —
SARA:	Coffi am unarddeg bob bore —
FFIOR:	Ie ie, cyfarfod dros goffi, ymddiddan, y diddordeb yn codi —
SARA:	Mynd am dro wedyn yn y gerddi i barhau'r trafod —
FFIOR:	Ie, mynd am dro, weithiau am oriau gan ymgolli yn y sgwrs —
SARA:	Mae hi'n amser cinio a does neb arall yn y gerddi, ac yn sydyn —
FFIOR:	Ie, Sara, yn union fel yna, cael ein hunain yn cusanu, heb feddwl —
SARA:	Ac edrych ymlaen wedyn at fory —
FFIOR:	Ie, fory a fory! ...O! Sara! Sut y gwyddoch chi? Sut y gwyddoch chi?
SARA:	Sut y gwn i? ...Eiddigedd, Ffioretta, eiddigedd yn medru dychmygu, yn medru mynd drwy'r profiad... Rydach chi wedi syrthio mewn cariad?
FFIOR:	Ryn-ni'n caru'n gilydd yn angerddol, Sara. Fel Paolo a Ffrancesca, llyfr sy wedi'n clymu ni mewn cusan. O mi wn na fedrwch chi fyth mo'i ddyall e. Efalle na fedrwch chi mo'i fadde fyth. Ond Sara, rwy'n erfyn arnoch chi i'w dderbyn e, ei gydnabod e,

29

cydnabod nad oes mo'r help, doedd dim arall yn bosib, —ontefe, Paul?—dim arall. Rhaid i chi beidio â digio na chwerwi, Sara. Yn wir, rwy am fentro gofyn i chi'n helpu ni, oblegid rŷn-ni mewn trwbwl mawr.

SARA: Cymaint â'r prifathro?

FFIOR: Ŵyr e ddim byd am drwbwl.

SARA: Dyna pam rydach chi'n chwilio am swydd yn Llundain?

FFIOR: Mae hi'n dyall, Paul! Bendith arni hi, yn dyall a maddau ac yn barod i helpu!

PAUL: Mynd i Lundain ydy'r unig ffordd allan.

FFIOR: Paul annwyl, mae hynny'n siŵr. Does dim ffordd arall.

SARA: Ydach chi'n credu y medrwch chi anghofio Paul yn Llundain?

FFIOR: Beth?

SARA: Yn Llundain...fedrwch chi anghofio Paul?

FFIOR: Anghofio Paul? Fedra i fyth anghofio Paul! Mae'n amhosib imi fyw heb Paul. Fedra i ddim dychmygu am fyw heb Paul...O Paul!

(Mae hi'n gwasgu ei dwylo ynghyd ac yn syllu arno)

PAUL: Meddwl amdanoch chi y mae Ffioretta a minna, Sara. Mae'n clonna ni'n gwaedu drosoch chi —

SARA *(fel un yn cydymdeimlo mewn angladd):*
Wrth gwrs. Does dim yn fwy eglur.

PAUL: Mi fuon-ni deud droeon, petai hyn ond wedi digwydd i rywun arall heblaw chi. Dyna'r pam y penderfyn-son-ni fod yn rhaid inni'n dau fynd oddi yma.. Gadael Cymru. Byddai inni aros yma yn gneud bywyd yn boen enbyd i chi. Mi wnawn i bopeth i arbed poen i chi.

SARA: I Lundain yr ewch chithau?

PAUL: Dyna'r cynllun i gychwyn beth bynnag.

SARA: 'Does dim cadair yn y Gymraeg ym Mhrifysgol Llundain.

PAUL: Mae hynny'n wir. Ond rhaid aberthu rhywbeth. 'Does dim cariad heb aberth.

FFIOR: Paul, fe ddylech fod wedi'ch geni yn Fflorens. Chi

	yw'r unig Gymro sy'n deall cariad fel pobl yr Eidal.
SARA:	Sut y gwnewch chi fyw yn Llundain? Cadw tŷ i Ffioretta?
PAUL:	Mi fuon-ni'n trafod hynny. Mae gobaith y ca'i ddosbarthiadau mewn llenyddiaeth fodern a drama, dosbarthiadau nos —
FFIOR:	A gorffen eich gwaith ar y Gogynfeirdd yn y British Museum bob bore.
PAUL:	Ac wedyn y gwyliau —
FFIOR:	Palermo—Napoli —
PAUL:	Pisa yn y Pasg —
FFIOR:	Byw'n gyfangwbl i serch ac astudio, celfyddyd a llenyddiaeth; profiadau caru a phrofiadau artistig gyda'i gilydd —
PAUL:	Ydych chi'n gweld, Sara, mae Ffioretta wedi byw cymaint yn yr Eidal; wedi ei geni yno! yno y bu hi'n yr ysgol! Mae hi wedi agor fy llygaid i i'r cyfoeth diderfyn o brofiadau sy'n bosib pan fydd serch ac ysgolheictod yn gyfartal rhwng dau gariad —
FFIOR:	Pan fydd athrylith serch yn deffro athrylith ysgolheictod —
PAUL:	Ac athrylith ysgolheictod yn canfod y golau yn llygad serch.
FFIOR:	'Rych chi'n dyall yn awr, on'd ych chi, Sara?
SARA:	Mae un peth na fedra i mo'i ddallt.
FFIOR:	*Carissima!*
PAUL:	Be' fedrwch chi' mo'i ddeall, Sara?
SARA:	Pa raid i chi aros nes mynd i Lundain?
PAUL:	'Fedra'i mo'ch dilyn chi.
SARA:	'Fuoch chi yn y gwely efo Ffioretta?
PAUL:	Wir i chi, Sara! Cwestiwn braidd yn od yn Gymraeg.
SARA:	Cwrs? Aflednais?
PAUL:	Wel, deud peth ar ei ben, braidd.
SARA:	'Wnewch chi ateb? 'Fuoch chi?...Cystal imi wybod.
PAUL:	Wel! ...nid gwely chwaith.
SARA:	Rhyngoch chi a fi, Ffioretta, — mi fyddai gwely yn llawer mwy handi.

FFIOR:	Byddai, o byddai. Llawer mwy handi!
SARA:	Oes gennych chi wely?
FFIOR:	'Ych chi'n meddwl mai hwch ydw' i?
SARA:	'Welais i mo'ch gwely chi.
PAUL:	At beth y mae hyn yn arwain?
SARA:	At wely Ffioretta. Pa eisiau aros nes mynd i Lundain?
PAUL:	'Ydych chi'n foddlon imi fynd ati?
SARA:	Mi fuoch eisoes. 'Fedra i mo'ch rhwystro chi.
PAUL:	Heno?
SARA:	Pam lai?
FFIOR:	O Paul!
PAUL:	'Rydych chi o ddifri, Sara?
SARA:	'Ydach chi?
PAUL:	'Roeddwn i wedi meddwl am ddianc i Lundain gynta ac anfon atoch chi i ddeud y cwbwl oddi yno.
SARA:	Byddai heno'n well.
FFIOR:	Ein gweddi ni wrth ddawnsio gynnau bach, Paul.
PAUL:	Ond heb feiddio gobeithio.
FFIOR:	'Rych chi'n ei roi e imi, Sara? Yn ei ildio fe?
SARA:	Dim o gwbl. Ond nid carchar ydy' priodas.
PAUL:	Tybed?
FFIOR:	Rhyddid, rhyddid yw serch.
SARA:	Oes gennych chi botel dŵr poeth?
FFIOR:	Potel dŵr poeth?
SARA:	Mae 'i draed o bob amser yn oer yn y gwely.

FFIOR (*gan chwerthin yn fuddugoliaethus*):
>'Fydd ei draed e ddim yn oer heno, Sara bach.

SARA (*wrth Paul*):
>Gwell inni fynd i bacio.

PAUL:	Pa bacio sydd eisiau?
SARA:	Pyjamas. Mae hi'n deud fod ganddi wely. Gŵn nos. Crys glân i fory. A siwt bob dydd.
PAUL:	Mi fedra'i godi'r rheini ar y ffordd.
SARA:	Brws dannedd. Rasal; sebon shafio. Mae'n siŵr nad oes ganddi hi ddim sebon shafio. Am wn i.
PAUL:	Pa ots am hynny heno?
SARA:	Mae gennych chi ddarlith naw ar gloch bore fory.

PAUL: Mi af i fy hunan i bacio.

SARA: Paul annwyl, 'dydach chi ddim wedi pacio i fynd am noson i bwyllgor yn Amwythig er pan briod'son ni. Heno mi fyddech yn llawer rhy nerfus; mi anghofiech bopeth. Dowch, mi awn rwan. Cewch chithau ddod yn ôl yma i gyrchu Ffioretta i'w fflat.

(Exit Sara)

FFIOR: Mae arna' i ofn eich gollwng chi, Paul.

PAUL: Mi frysia i'n ôl. 'Rydyn-ni wedi ennill, Ffioretta.

FFIOR *(gan ei gusanu):*

Caro! Caro!

(Exit Paul. Eistedd Ffioretta ac ymestyn ar gadair esmwyth, ac yna torri allan i chwerthin yn hir heb unrhyw sŵn o gwbl a'i breichiau uwch ei phen. Egyr drws ar y dde a saif SAM hanner i mewn a hanner allan ac edrych arni am sbel heb iddi wybod ei fod yno. Golwg trempyn sydd arno yn farfog ac aflêr a thlawd. Mae'r olwg ar Ffioretta yn peri iddo wenu. Yn sydyn gwêl hithau ef a neidio i'w thraed) —

FFIOR: Pwy ych chi?

(Daw Sam i mewn a chau'r drws. Mae'n ifanc a gosgeiddig a'i siarad gyda'i lais tenor ysgafn yn ddiwylliedig)

SAM: Wyddoch chi, dyna un o brofiadau mwya od 'y mywyd i.

FFIOR: Be'?

SAM: Gweld merch ifanc, ond addfed-addfed ifanc, yn gorfoleddu ynddi ei hun ar ei phen ei hun. Mae rhywbeth mawr newydd ddigwydd i chi.

(Mae Ffioretta wedi ei syfrdanu yn eistedd yn wan)

FFIOR: Pwy ych chi?...O ble daethoch chi?

(Gwêl yntau'r plat bwyd ar y bwrdd)

SAM: 'Ga'i helpu fy hun?

(ymosod yn awchus ar y brechdanau)

FFIOR: Trampio ych chi? Eisiau bwyd?

SAM: Bwyd; dillad; arian; bath; diod hefyd . . . Oes yma ddiod? . . . Diod lemon. Wrth gwrs. *(yfed)* . . Dawns

33

sydd acw? *(cyfeirio at y neuadd)*

FFIOR: Dawns efrydwyr y coleg.

SAM: Staff hefyd?

FFIOR: Rhai o'r staff. Y Gymdeithas Gymraeg.

SAM: Felly y clywais i yn y tŷ. Ydy'r hen law yno?

FFIOR: Yr Athro Cymraeg? Mi fuoch yn y tŷ?

SAM *(yn ochelgar):*

Dim ond galw. Galw i holi.

FFIOR: Ych chi'n ei 'nabod e?

SAM: Beth yw'r enw?

FFIOR: Paul—Paul Roger. Fe ddaw'n ôl gyda hyn.

SAM: Yma?...'Rych chithau'n ei aros e...Dyna pam y chwerthin?

FFIOR *(yn gwylltio):*

Signore!

SAM: Oho! ... *Signore!* ... Darlithydd felly, ai e? Darlith-
ydd yn yr Eidaleg?...Wrth gwrs...Mae'r ffrog yna o
Fflorens. Un o'r siopau bach swel wrth ymyl y
Ponte Vecchio, ie? Swegran!

FFIOR *(gan eistedd yn syth iawn a cheisio llymder):*

Wr ifanc!

*(Mae Sam yn edrych yn sydyn heibio iddi ac yn
pwyntio at y drws tu cefn iddi)*

SAM: Dyma fe, Paul!

FFIOR *(gan droi a neidio i'w thraed):*

Paul!

SAM *(ymollwng i chwerthin):*

Wel, wel, wel! ar f'engoes i! . . . Ydy'r Paul yma
wedi gofyn i chi i'w briodi e?

FFIOR *(ar ei thraed yn crynu o ddig):*

Ewch o 'ma ar unwaith, ar unwaith!

(Mae Sam yn cymryd brechdan arall yn hamddenol)

SAM: Erbyn meddwl, na; 'dyw e ddim wedi cynnig priodas.
'Dyw merch ddim yn chwerthin fel yna ar ei phen ei
hun y pryd hynny. Chwerthin concwest welais i
o'r drws 'na, nid chwerthin cariad. 'Rych chi wedi
ei ddal e; ie? 'Rych chi'n ei aros e yma; a fedr e
ddim dianc; 'rych chi wedi ei gael e lle'r oeddech chi

34

am ei gael e; mae e yn eich llaw chi.

FFIOR (*yn gynhyrfus*):
Mi alwa'i am y plismyn os nad ewch chi o 'ma ar unwaith.

SAM: Na wnewch, ferch ddel. Rhaid i chi aros amdano fe yma. Mae'n bwysig. Fel aros am Godot.

FFIOR: Pam ych chi yma? Beth yw'ch neges chi?

SAM: Job o waith. Mae gen i fusnes yma.

FFIOR: 'Wyddoch chi mai Coleg y Brifysgol sydd yma?

SAM: Dyna pam y des i.

FFIOR: Darlithydd newydd?

SAM: Go brin. Edrychwch arna'i.

FFIOR: 'Rwy'n gorfod. Beth yw'ch gwaith chi?

SAM: *Blackmail.* 'Wn i ddim beth yw'r gair Cymraeg amdano. *Proffesional blackmailer,* dyna fi!

FFIOR (*yn wan*):
Pa afael sy gennych chi ar...?

SAM (*wrth ei fodd*):
Ar Paul? Paul Roger? Dim oll, 'y merch fach i, dim oll. 'Chlywais i 'rioed mo'i enw e o'r blaen. 'Wyddwn i ddim am ei fod e. Chi piau Paul Roger, nid fi.

FFIOR (*gan ymsuddo i gadair*):
Diolch fyth! *Dio mio,* mi gefais fraw.

SAM: Chi roes siawns imi. Eich dal chi heb fwgwd ar eich wyneb. Cyfle i gael mymryn o bractis, wyddoch chi; rhaid i drad fyw.

FFIOR: 'Rych chi'n ffiaidd.

SAM: Dyna fe i'r dim. Mae lot yn gyffredin rhyngoch chi a fi. Wrth gwrs, dim ond dechra ych chi?

FFIOR: Pwy ych chi? Beth yw'ch enw chi?

SAM: Sam. Galwch fi'n Sam.

FFIOR: Sam be'?

SAM: Mae'n amrywio. Ond mae Sam yn sefydlog. A chithau?

FFIOR: Miss Davies.

SAM: 'Chawsoch chi mo'ch bedyddio?

35

FFIOR *(gwgu, wedyn gwenu):*
O, o'r gora! Ffioretta.

SAM: Ffioretta! O Fflorens, yr un fath â'r ffrog. Gawn ni fod yn bartners, Ffioretta?

FFIOR: 'Rych chi'n ymosod arna'i fel batri, yn ddidrugaredd.

SAM: A 'does gennych chi ddim amddiffyn. Beth yw'ch oed chi?

FFIOR: Sam!

SAM: Dyna well. Gwell o lawer. Beth yw'ch oed chi?

FFIOR: Saith ar hugain.

SAM: A Paul?

FFIOR: Mae e'n ddeunaw ar hugain.

SAM: Ydy e'n briod?...Ac yn dad?

FFIOR: Wrth gwrs.

SAM: Wel,'rwyt ti'n ffŵl, Ffioretta, yn ffolog fach dwp. 'Rwyt ti'n hudolus, 'rwyt ti'n addfed i serch, mae dy ffrog di o Fflorens, ond 'rwyt ti'n hurt a thwp. 'Fedri di mo'i shapio fe; mae e'n rhy hir yn briod.

FFIOR *(gan chwilio):*
Ble mae fy mag i?

SAM *(heb symud):*
Ar y gadair.

FFIOR *(gan ei gael a chymryd ei hances):*
Ewch o 'ma. 'Rych chi'n annioddefol, yn annioddefol.

SAM *(heb symud):*
La cortesia, signorina! Mi dd'wedais i *ti* wrthyt ti.

FFIOR: 'Wnewch chi —

SAM: 'Wnei *di,* —

FFIOR: Adael llonydd imi.

SAM *(mynd yn sydyn a gafael yn ei dwy fraich):*
Dywed: wnei di adael llonydd imi, Sam.

FFIOR *(pwdllyd ond ufudd):*
'Wnei di adael llonydd imi, Sam?

SAM *(gan ei gollwng hi yn ysgafn ddihitio):*
O'r gore. Am y tro. Un wers ar y tro, ond cymer ofal ei chofio.

FFIOR *(gan sychu ei dagrau):*
'Rwyt ti'n atgas a chreulon. 'Rwyt ti wedi sbwylio

36

fy noson i.

SAM: Paid â gofidio. Mi ddaw Paul gyda hyn. Iti gael chware caru.

(Daw GWEN atynt o'r neuadd a sefyll yn stond)

GWEN: Miss Davies! Mae'n ddrwg gen' i.

FFIOR: Popeth yn dda, Miss Macduff. 'Ga i'ch cyflwyno chi i'ch gilydd?...Miss Gwen Macduff, is-lywydd y myfyrwyr...Mr. Samuel Prys.

(Mae Gwen yn syllu arno ef. Mae yntau, a'i aeliau'n codi mewn syndod yn syllu ar Ffioretta)

SAM: *Blackmail!*

GWEN *(gyda bow grasusol iawn o'i phen):*
Noswaith dda, Mr. Prys.

SAM: Noswaith dda, Miss Macduff.

GWEN: *(sy'n dotio arno):* Pa brifysgol?

SAM *(gan wenu) :*
'Rwyn cael sioc ar ben sioc. Sut y gwyddoch chi imi fod mewn prifysgol?

GWEN: Steil.

SAM: Hong-Kong gynta. Wedyn Melbourne.

GWEN: Mi wyddwn. Mae'r swper newydd orffen a'r band ar ail-gychwyn. 'Ddewch chi i ddawnsio'r ddawns gynta gyda mi?

SAM *(mewn tôn o brotest):*
Miss Macduff!

GWEN: Gwen, i chi. A chithau, — Sam?

SAM: Siŵr iawn, Sam. Ydy pawb yn y coleg yma mor gyflym â chi?

GWEN *(dirmyg amlwg):*
Y coleg yma? Maen' nhw mor gyflym â charreg fedd.

(Y tri'n chwerthin)

SAM: 'Fedra' i ddim mynd i ddawnsio fel yma.

GWEN: Pam?

SAM: Edrychwch arna' i.

GWEN: 'Rwy'n gwneud. 'Rwy'n syllu. *Beatnik.* Y *beatnik* cynta 'rioed i fentro i ddawns swel yn y coleg. Mae pawb yma mor barchus *respectabl.* Pawb mewn

dillad posh. Mi fydd yn fendigedig eich arwain chi i'r canol. Ydych chi'n medru'r Twist?

SAM: Debyg iawn. Chithau?

GWEN: Duwc, na fedra' i. Lle y dysg'och chi?

SAM: Wandsworth. Mae Wandsworth yn llawn *twisters.*

GWEN: Llundain, ie? Un o golegau'r Brifysgol?

SAM: Nid coleg i ferched...Byddai'n well imi olchi fy nwylo cyn rhoi llaw ar y ffrog yna.

FFIOR: Mae lle 'molchi yn y clôcrwm, acw ar y chwith.

(Exit Sam drwy ddrws y chwith ac ar unwaith daw HARRI a Syr GAMALIEL i mewn o'r neuadd ddawns)

SYR G: Campus, 'machgen i. Syndod. 'Wyddwn i ddim fod y Gymdeithas Gymraeg mor hoyw. 'Roedd yn dda gen i glywed llawn cymaint o Saesneg ag o Gymraeg gan y dawnswyr. Cymysgedd hyfryd. Fe fu'n bolisi gen i ofalu fod digon o bobl ifainc yn dod atonni o Loegr, efrydwyr a staff, rhag i'r coleg fynd yn blwyfol. Chware teg i chi, mae acenion Leeds a Wigan yn gartrefol hapus, a dylanwad iach hynny'n eglur ar y Gymdeithas Gymraeg...Ah, Miss Davies, *heb* yr Athro. A phle mae'r Athro a Mrs. Roger?

FFIOR: Wedi mynd adre, *caro rettore,* yr Athro a Mrs. Roger.

SYR G: Gyda'i gilydd?

FFIOR: Gyda'i gilydd y cychwyn'son-nhw. Ydych chi'n meddwl fod hynny'n anweddus?

SYR G: Hyfryd o newydd, Miss Davies. Buoch yn ddoeth iawn. A gaf i'ch llongyfarch chi. Ie, wrth gwrs, dyma Miss...

GWEN: Gwen Macduff, syr.

SYR G: Debyg iawn. Dawns hyfryd, Miss Macduff. Trefniadau rhagorol...

(Y mae'r drws ar y chwith yn dechrau agor, ond dyry Ffioretta ei llaw ar y dwrn a chadw'r drws rhag agor. Ni welir ond coes a throed Sam)

...Ac yn awr mi hoffwn i gael fy nghot fawr.

FFIOR: Ar unwaith, Syr Gamaliel...*(clywir ei llais hi tu ôl*

i'r drws reit awdurdodol) Na, na ,na ddim am dipyn,
ddim heno.

SYR G: Fan yna y mae'r morynion yn gweithio, Miss Mac-
duff?

GWEN: Ni'r merched a rhai o wragedd y staff yw'r morynion,
syr.
 (*Dychwel Ffioretta gyda'r got fawr. Dyry Syr
 Gamaliel y waled ym mhoced ei siwt wedyn a rhoi
 bow i'r cwmni*)

SYR G: Nos da, gyfeillion. Mae'n hyfryd gweld fod popeth
yn troi'n iawn. Sgandal yn darfod.
 (*Exit Syr G. Mae'r drws i'r neuadd ar agor.
 Miwsig yn y pellter*)

HARRI: Y ddawns gynta ar ôl swper. Ga' i hon, Gwen.

GWEN: Mae'n ddrwg gen' i, Harri. 'Rwy wedi ei haddo hi.

HARRI: I bwy ddaru chi addo? Gwen, 'dydy hyn ddim yn
deg.

GWEN: I Sam y *beatnik*. Dyma fe'n awr.
 (*Daw Sam yn syth at Ffioretta*)

SAM: Pam gythrel na chawn i ddod i mewn gen'ti?

FFIOR: Yr hen law. 'Roedd e yma.
 (*Storm o chwerthin gan Sam*)

SAM: 'Rwyt ti'n gall ar y naw, 'nghariad i…Wel, Gwen, beth
amdani.
 (*Ni all Gwen ond ei addoli'n fud. Dawnsiant
 allan i'r neuadd*)

HARRI: Pwy ydy o, Miss Davies, wyddoch chi?

FFIOR: Yma ar ymweliad. Prifysgol Hong-Kong.

HARRI: Swanc ffiaidd ydy gwisgo fel yna. (*Y mae ef yn troi
tua'r neuadd*…
 (*Daw Paul i mewn gyda chas teithio bychan. Rhed
 Ffioretta ato*)

FFIOR: Paul! Paul! Dewch ar unwaith! O mi gefais ofn . . .
 (*Mae Paul yn diosg ei got fawr*) . . . Ofni na ddoech
chi ddim yn ôl.

PAUL: Mae popeth yn iawn.

FFIOR: Popeth yn iawn yn awr. Ond mi gefais ddychryn
erchyll, hunllef!

39

PAUL: Miwsig a dawns! Nghariad i!

FFIOR: Dyma ddawns y bywyd newydd. *La Vita Nuova!*

PAUL: Mi ddawnsiwn yr holl ffordd i'r gwely.

(Dawnsiant allan i'r neuadd a'r golau)

TERFYN YR ACT.

*Parlwr yn nhŷ'r Rogeriaid. Mae'n ddiymhongar
chwaethus—chwaeth Sara—ac yn gysurus. Cân y
teleffôn deirgwaith neu bedair cyn dyfod Sara drwy'r
drws ar y chwith ato. Mae ffenestr-ddrws yn y cefn
yn agor ar ardd. Cyn codi'r teleffôn y mae Sara'n
agor y drws gwydr hwn ar fore braf. Mae'r llwybr
at ddrws ffrynt y tŷ yn pasio'r drws gwydr agored
hwn. Cymer Sara'r teleffôn a rhai llyfr o sieciau
ar y bwrdd:-*

SARA: Powys pum wyth—! Ie, fi sy 'ma, Sara...Ffioretta!
Wel!...Tad annwyl, be sy, Ffioretta? Rydach chi'n
crïo! *(Mae hi'n gwenu'n hapus)...* Peidiwch â chrïo
i mewn i'r teleffôn, fedra i mo'ch clywed chi...Paul
wedi mynd!...Ond wrth gwrs, mae o yn y coleg, mae
ganddo ddarlith naw ar gloch...Does dim rhaid tor-
ri'ch calon; mi gwelwch o wrth y bwrdd coffi am un-
arddeg ac wedyn mynd am dro yn y gerddi: on'd ydy
hen arferion yn felus?...Beth?...Peidiwch â chrïo,
Ffioretta, mae'r teleffôn yn mynd reit damp...Gaws-
och chi ffrae?...Na hidiwch, mae pawb yn ffraeo ar
ôl y noson gynta. Wrth gwrs mae'n wahanol heb
briodi, ei fenthyg o heb rent yr ydach chi...Gewch
chi ddwad yma? I be? Be sy arnoch chi eisiau'i
wybod?...Brecwast Cymreig?...Mae o reit syml,
uwd i gychwyn, wedyn cig moch a dau wy, wedyn
brechdan grasu a marmaléd, a the wrth gwrs. Te
Tseina mae o'n ei gael bob amser i frecwast cyn
darlith naw ar gloch......Beth? Pwy? Paul? Mi
aeth o allan heb frecwast? Heb ddim o gwbl? O
Ffioretta! Be ddaw o'r efrydwyr?...Darlith naw ar
gloch heb damaid o frecwast ar ôl noson o'r hen arfer
Gymreig o garu yn y gwely! Druan o'r dosbarth
clod!...Wel, dowch yma os mynnwch chi. Uwd?
Gwnaf, mi ddangosa i ichi sut mae gwneud uwd.
Wedi'r cwbl mae'n rhaid ei gadw o'n fyw,—er mwyn
y Gogynfeirdd...Does gennych chi ddim darlith y

bore ma? Wel, dowch a chroeso. Oes gennych chi ffedog? Brat?...Brenin y bratiau!

(Mae Syr Gamaliel Prys a'i ŵn coleg amdano yn nesu at y ffenest a hithau'n chwifio'i llaw arno. Saif ef yno)

...Popeth yn dda, mi wnawn ni uwd gyda'n gilydd. Byddwch yma cyn pen deng munud. Ffedog, cofiwch, nid gŵn coleg!

(Rhoi'r teleffôn i lawr a mynd tua'r ffenestr)... Syr Gamaliel! Ymweliad annisgwyl. Dowch i mewn.

SYR G: Maddeuwch imi am alw mor gynnar, Mrs. Roger. Ydy'r proffesor yma?

SARA: Yn y coleg. Darlith naw o'r gloch. Dosbarth clod.

SYR G: Darlith naw o'r gloch! Ac yntau'n athro. Peth od, peth od.

SARA: Nac'dy ddim yn adrannau Cymraeg y Brifysgol.

SYR G: Ydyn nhw'n wahanol i'r adrannau erill?

SARA: Y traddodiad ymneilltuol Cymreig.

SYR G: Wrth gwrs, wrth gwrs. Rydw inne wedi sylwi. Mae'r darlithwyr Cymraeg wedi etifeddu gwep a phesychiad yr hen bregthwyr gynt. A'r un lle ym mywyd y genedl. Yr un parchusrwydd cyhoeddus, ond ambell ddafad ddu.

SARA: Traddodiad y sasiwn a'r gymanfa.

SYR G: Cael hwyl wrth ddarlithio, ie?

SARA: Tair darlith yn oedfa'r bore. Tair arall yn oedfa'r p'nawn. Pum diwrnod o'r wythnos.

SYR G: Fydd 'na orfoleddu?...Aros ar ôl?

SARA: Mae pawb yn aros ar ôl. Cyn eu bod nhw wedi dadebru, mae'r ddarlith nesa wedi cychwyn.

SYR G: Ddaw e ddim yma tan unarddeg?

SARA: Mae'n bosib y daw o'n gynt heddiw...'chafodd o ddim brecwast.

SYR G: Tybed?...Ymprydio?...Gobeithio nad yw e ddim yn tueddu at y pabyddion.

SARA: Mae ganddo ddiddordeb mawr yn yr Eidal.

SYR G:	Mae hynny bob amser yn mynd gyda thipyn o lac-rwydd mewn moesau. Ond chware teg fe aeth adre'n gynnar o'r ddawns neithiwr.
SARA:	Gellwch ei weld o yn y coleg.
SYR G:	Fe fydde'n well gen i ei weld e yma.
SARA:	Pam yma?
SYR G:	Yn breifat.
SARA:	Newydd drwg?
SYR G:	Cythryblus a thrist.
SARA:	Llythyr di-enw arall?
SYR G:	Gwaeth.
SARA:	Be all fod yn waeth? Sgandal?
SYR G:	Yn yr adran Gymraeg eto.
SARA:	Tewch da chi!
SYR G:	Mae arna'i ofn fod hwn yn fater y bydd yn rhaid galw'r plismyn i'w drafod.
SARA:	A 'rydach chi am i'r plismyn ddwad yma i 'nhŷ i yn hytrach nag i'r coleg er mwyn enw da'r Brifysgol?
SYR G:	Er mwyn enw da'r adran Gymraeg, Mrs. Roger.
SARA:	Fy nghhartre i ydy hwn, nid cartre'r adran Gymraeg.
SYR G:	Cartre'r Athro Cymraeg.
SARA:	Mae'n dda gen i glywed hynny.
SYR G:	Oeddech chi'n amau hynny?
SARA:	Efalle, ryw fymryn.
SYR G:	Ond fe ddaeth e adre'n iawn gyda chi neithiwr.
SARA:	Pam felly mae eisiau plismyn?
SYR G:	Bydde'n well gen i drafod hynny'n breifat gyda'r Athro.
SARA:	'Dydy'r lle y mae dyn yn cysgu ddim yn fater i'r plismyn.
SYR G:	Wrth gwrs. Ond iddo beidio â chysgu ar y ffordd fawr.
SARA:	Na, mae ganddi fflat . Heblaw hynny, fi drefnodd y peth.
SYR G:	Beth? Ych chi'n gwybod?...Pam na dd'wedsoch chi?
SARA:	Fi ydy ei wraig o.
SYR G:	A chi drefnodd y peth? Pa bryd?
SARA:	Neithiwr.

SYR G:	A minne yn y ddawns?
SARA:	Mae'n debyg. Pa ots am hynny?
SYR G:	A gadael fy nghot a'r waled yn eich gofal......
	(cerdded mewn gwewyr a syllu arni)
	Fedra'i mo'ch dyall chi. Fedra'i mo'ch credu chi.
	Neithiwr yn y ddawns?
SARA:	Ar ôl i chi rihersio'ch anerchiad i Gyngor y Coleg.
	Ydach chi'n cofio? Araith huawdl am burdeb y
	Brifysgol, — nid â dim aflan i mewn iddi, a'r mym-
	ryn lleia posib o Gymraeg. Wel, os oeddech chi am
	daflu 'ngŵr i allan o'i swydd, 'roedd yn rhaid i minnau
	wynebu'r sefyllfa; mater o fara a chaws.
SYR G	(Chwerthiniad byr anghrediniol):
	Mrs. Roger, rych chi wedi colli arnoch eich hun.
	Ennill bara a chaws—fel yna!
SARA:	'Ddwed'soch chi ddim fod 'y ngŵr i'n debyg o golli'r
	gadair?
SYR G:	Mae pethau wedi newid. Fe aeth e adre gyda chi
	neithiwr, yn gynnar, yng ngwydd pawb. Roedd hyn-
	ny gystal â dangos fod y tipyn godinebu neu'r bygwth
	godinebu yma ar ben, fod popeth yn dychwelyd i
	drefn a rheoleidd-dra.
SARA:	Mae rhyw obaith am hynny, 'rwy'n cytuno. Mi
	gefais awgrym o dywydd teg y bore 'ma.
SYR G:	Pam felly...?
SARA:	Pam be?
SYR G:	Fedra'i mo'ch dilyn chi o gwbl.
SARA:	Problemau rhyw, Syr Gamaliel, problemau gwraig
	briod. Dydyn' nhw ddim mor aml yn rhan o broblem-
	au prifysgol. Rhyw unwaith bob deng mlynedd yng
	Nghymru.
SYR G:	Ydy hyn wedi digwydd o'r blaen?
SARA:	Syr Gamaliel!
SYR G:	Mrs. Roger, bwriwch fod y gwaetha'n digwydd a'i
	fod e'n colli'r Gadair Gymraeg a mynd oddi yma,
	mynd i Lundain, er enghraifft —
SARA:	Ie, dyna oedd y bwriad.

SYR G:	Wel, hyd yn oed yn Llundain all e na chithau ddim byw ar ladrata. Ddim yn ei oed e! Athro Cymraeg o Goleg y Brifysgol yn troi'n lleidr cyffredin a phigo pocedi! Nid dyna'i grefft e. 'Chafodd e ddim prentisiaeth. Mater o fara a chaws wir!
SARA:	Lladrata?...Ydach chi'n teimlo'n iawn, Syr Gamaliel?
SYR G:	Mor iawn ag y mae hi'n bosib yn yr amgylchiadau.
SARA:	Pa amgylchiadau, syr?
SYR G:	Un o athrawon y coleg, Mrs. Roger, yn troi i bigo pocedi! Mae'r peth yn newydd braidd. Hyd yn oed yn yr Adran Gymraeg!
SARA:	Syr Gamaeliel, 'ydach chi wedi drysu'n eich meddwl?
SYR G:	Mrs. Roger, mi wn eich bod chi mewn sefyllfa go enbyd. Mae hynny'n eglur. Ond fe fydde'n ddoeth inni gadw'r ymddiddan yma mor gwrtais ag y bo modd.
SARA:	Cwrteisi ydy cyhuddo 'ngŵr i o droi'n lleidr cyffredin a phigo pocedi?
SYR G:	Cyn dod yma'r bore 'ma 'freuddwydiais i ddim am eiliad fod hynny'n bosib. Rw i wedi fy syfrdanu.
SARA:	Rydw innau wedi fy syfrdanu. Roeddech chi'n sôn am alw'r plismyn yma?
SYR G:	Do, reit siŵr. Ond cyn gwybod.
SARA:	Cyn gwybod beth?
SYR G:	Mai chi drefnodd y peth!
SARA:	Pwy ydy'r lleidr felly, fi neu Ffioretta neu Paul?
SYR G:	Druan o'r Coleg!
SARA:	Rydw i'n cofio: yn ôl y Deg Gorchymyn y mae godinebu yn rhyw fath o ladrata. Prin y creda i mai dyna safbwynt y plismyn na chyfraith Loegr.
SYR G:	Nid sôn am anfoesoldeb y staff yr ydw i'n awr. Problem arall yw honno. Mae hyn yn sgandal gwaeth.
SARA:	Diolch i chi am eich cwrteisi. Am beth yr ydach chi'n sôn?
SYR G:	Sôn am ddwyn, dwyn arian, dwyn ugain punt a llyfr cyfan o sieciau banc. Lladrad . . . Ydych chi'n dyall, Mrs. Roger, lladrad yw'r peth.
SARA:	Dwyn ugain punt?

45

SYR G: Pedwar papur pum punt a *cheque-book.*

SARA: Dwyn ugain punt o ble? Pa bryd?

SYR G: Neithiwr yn y ddawns. Dawns y Gymdeithas Gymraeg. Allan o'r waled a rois i yn fy nghot a'i gadael yn eich gofal chi cyn mynd i'r ddawns.

SARA: Paul? Rydych chi'n deud mai Paul...?

SYR G: Chi dd'wedodd, nid fi. Chi gyffesodd. Chi drefnodd y peth, meddech chi.

SARA: A rydach chi'n bwrw mai dyna pam yr aeth Paul adre'n gynnar o'r ddawns? Ei fod o wedi pigo'ch poced chi a chymryd ugain punt o'r waled a'i gloywi hi? A mi ddaethoch yma i holi cyn galw am y plismyn? Rhag ofn codi sgandal yn y coleg? —

SYR G: Mrs. Roger—unwaith eto—chi, nid fi—

SARA: Gamaliel Prys, rydach chi'n mynd dros ben llestri'n lân! Wyddoch chi fod y fath beth â chyfraith athrod? Wyddoch chi y gallwn i'ch dwyn chi i lys barn? Wyddoch chi y gallwn i luchio'r dodrefn yma bob mymryn ar eich pen chi—

(Y mae Syr Gamaliel yn cilio gam a cham o'i blaen hi tua'r ffenestr ac yn syrthio i freichiau Ffioretta sy'n dyfod i mewn ar y funud)

FFIOR: *Che sorpresa, caro rettore.*

SYR G: Miss Davies, maddeuwch i mi. Mae'n ddrwg gen i. Sefyllfa anhapus!

FFIOR: *Niente!* Chefais i rioed brifathro yn fy mreichiau o'r blaen.

(Mae hi'n tacluso'i grafat a'i ŵn ef sy wedi mynd yn afler)

SARA: Cadwch o, Ffioretta!

SYR G: Ond yn fy offis i yn y Coleg y gofynnais i i chi 'nghyfarfod i, Miss Davies. Nid yma.

FFIOR: Pa ots o gwbl, *caro?*

SYR G: Pwy dd'wedodd mai yma yr oeddwn i? Fy ysgrifenyddes i?

FFIOR *(gan gymryd ei fraich a'i arwain i gadair):*
Waeth befo pwy. Mi fedrwn ni siarad fan yma lawn cystal, ontefe, Sara? Rw i mewn trwbwl, Syr Gam-

aliel, trwbwl enbyd, a chi yw'r union un i fy helpu i;
mae Sara'n gwybod —

SYR G: Mewn trwbwl, Miss Davies? Eisoes? Merch ar y
staff? A minne'n meddwl y gellid cadw'r cwbwl yn
breifat! Oes gennych chi ddim pilsen?

FFIOR: Nage, nid hynny, *caro*. Colli, nid cael.

SYR G: Colli? Chithau hefyd? Faint? Ugain punt?

FFIOR: Llawer mwy nag ugain punt!

SYR G: Diar annwyl! Siec!

FFIOR: Fy mywyd! Popeth!

SYR G: Anfon am y plismyn ar unwaith sy orau.

FFIOR: Na na na *niente*! Chi fedr fy helpu i. Rych chi'n
ŵr priod.

SYR G: Gŵr gweddw.

FFIOR: Mae hynny'n well. Drychwch, Syr Gamaliel, gawsoch
chi frecwast y bore 'ma?

SYR G: Gefais i frecwast? Wrth gwrs mi gefais frecwast.
Mae gen i wraig briod ragorol yn cadw tŷ imi a'i gŵr
yn was tŷ a chauffeur. Does gan hynny ddim a wnelo-

FFIOR: Oes oes oes. Dyna graidd y broblem.

SYR G: Problem?

FFIOR: Nawr'te, be gawsoch chi i frecwast? Fedrwch chi
gofio? Fyddwch chi'n gwybod be sy'n mynd i'ch
ceg chi?

SYR G: Miss Davies, mae gen i bethau poenus a phwysig i'w
trafod —

FFIOR: Does gennych chi ddim yn y byd sy mor bwysig â
hyn, Syr Gamaliel. Dwedwch be gawsoch chi i
frecwast!

SYR G: Mater o ladrad sy gen i, Miss Davies, lladrad cyff-
redin, nid mwrdwr na gwenwyn. Mae fy *houskeeper*
i'n gwbl ddieuog.

FFIOR (*yn angerddol*):
La prima colazione! Dwedwch ar eich gwir, Syr
Gamaliel, be gawsoch chi i frecwast?

SYR G: Mrs. Roger, ydy pawb o'i go y bore yma?

SARA: Cwestiwn sy'n fy niddori innau.

FFIOR: Nid o wagedd yr wy'n gofyn, *caro*. Mae 'mywyd i'n

47

dibynnu ar yr ateb. Brecwast ,brecwast, be gawsoch
chi —

SYR G (*yn athronyddol amynddegar*):
Mi gefais i frecwast, Miss Davies. Brecwast hollol
normal. Y brecwast Cymreig cyffredin.

SARA: Run fath â phawb arall yng Nghymru.

FFIOR: Mi fedrwn i sgrechian! Y brecwast Cymreig cyff-
redin! Ydy pob dyn byw yng Nghymru yn bwyta'r
un peth rhwng codi o'i wely a mynd allan y bore?

SARA: Rhywbeth go debyg.

FFIOR: Be gawsoch chi, Syr Gamaliel? I'w fwyta? Be
gynta?

SYR G: Gynta? Gynta, mi gefais uwd.

FFIOR (*gyda sgrech fawr a hir*):
U-w-d! U-w-d! Mae'r enw'n union fel sŵn dyn
yn taflu i fyny: u-w-d! Does ryfedd nad oes gan y
Cymry ddim clem ar garu! Pwy fyth fedrai garu,
caru a phlatiad o u-w-d fel chwydfa ci yn cyniweirio
drwy berfeddion ei fola!

SARA (*yn ddwys bryderus*):
O Ffioretta, chafodd o ddim brecwast o gwbl?

FFIOR: Fynnai e ddim byd, dim oll. Roedd gen i goffi inst-
ant; na, chymerai e ddim coffi cyn unarddeg. Roedd
gen i fisgedi crîm-cracer a thomato; edrychai e ddim
arnyn nhw. Roedd gen i *gelato,* beth yw hynny?
pezzo duro, yn y cwpwrdd oer, — *ice cream!*

SARA: *Ice-cream* i frecwast! Ffioretta! Ar stumog gwag!
Y tywydd yma! Cyn darlith naw ar gloch!

SYR G: Fedra'i mo'ch dilyn chi, Miss Davies. Sôn am y
lleidr neithiwr yr ych chi? Dorrodd e i mewn i'ch
fflat chi wedyn?

FFIOR (*wrth Sara*):
A bod eisiau bwyd ar ddyn yn y bore, Sara! I'r bywyd
academig *la vita intellettuale,* mae *ice-cream* yn ysgafn
ysbrydol barddonol llawn awen. Wyddoch chi, petai
neb yn gofyn am uwd mewn unrhyw dŷ respectabl
yn Fflorens, fe gâi ei daflu allan am wneud sŵn an-
weddus. Ond mi wn i am rai o athronwyr mwya

48

disglair Bologna, maen nhw'n byw ar *ice-cream*.

SYR G: Nid athronwyr Bologna sy gennyn-ni dan sylw, Miss Davies, ond lleidr, lleidr cyffredin. Dorrodd e i mewn i'ch fflat chi? Roisoch chi wybod i'r plismyn?

FFIOR: Lleidr? Pa leidr?

SYR G: Y lleidr gymerodd ugain punt a llyfr cyfan o sieciau allan o'r waled yn fy nghot fawr i neithiwr yn ystod y ddawns.

FFIOR: Do wir? Wel!...Wnaeth e hynny?...Un garw yw e!

SYR G: Un garw? Rych chi'n siarad yn bur anghyfrifol. Fedra i ddim barnu'r peth mor ysgafn. Meddwl fod dyn yn dwyn ugain punt a sieciau mewn dawns yn y coleg ac wedyn yn torri i mewn i fflat merch o ddarlithydd ymhell ar ôl canol nos! Ac yn ben ar y cwbl, chithau'n cynnig *ice-cream* iddo i frecwast!

FFIOR: Ond doedd gen i ddim arall i'w gynnig.

SYR G: Miss Davies, be wnaethoch chi gydag e *cyn* cynnig *ice-cream*?

FFIOR: Paul? Sôn am Paul yr ych chi? 'Thorrodd Paul ddim i mewn i fy fflat i.

SYR G: Thorrodd e ddim? Diolch fyth! Mae gan Gyngor y Coleg ddigon o ofid gydag e eisys......Maddeuwch i mi, Mrs. Roger, rhaid fod rhyw gam ddeall...Pwy felly dorrodd i mewn i'ch fflat chi, Miss Davies?

FFIOR: *Caro rettore,* thorrodd neb i mewn. Roedd popeth yn iawn, neu'n weddol iawn, tan y bore 'ma.

SYR G: Felly'n wir! Rhaid ei fod e wedi cuddio drwy'r nos heb i chi wybod?

FFIOR: Choelia i fawr! Nid i hynny y daeth e!

SYR G: *(gan sefyll):*
Am bwy rych chi'n sôn, Miss Davies?

FFIOR: Am Paul wrth gwrs. Does neb arall.

SYR G: Oes rhagor nag un Paul?

SARA: Tad annwyl, oes. Mae o'n lleng.

SYR G: Eich gŵr chi, Mrs. Roger? Ai fe yw'r un aeth heb *ice-cream?*

SARA: Ie, Ffioretta? Fy ngŵr i?

49

FFIOR (*yn drist*):
    Ie, ie gwaetha modd.
SYR G: Fe fu'n cysgu gyda chi neithiwr? Dyna rych chi'n ei ddweud?
FFIOR: Rhan o'r amser. Am wn i.
SYR G (*yn welw angerddol*):
    Mrs. Roger. Ar ôl dawns y Gymdeithas Gymraeg!
    Glywsoch chi? Wyddech chi am hyn?
SARA: Fi drefnodd y peth.
SYR G (*gan ymollwng yn llipa i'w gadair*):
    A gaf i...gwpanaid o ddŵr?
SARA (*sy'n symud at fwrdd wrth y mur*):
    Wnaiff brandi'r tro?
SYR G: Synnwn i ddim...Rhaid wrth rywbeth.
SARA (*gan roi brandi iddo*):
    Does gen i ddim *ice-cream*.
FFIOR: Cythrel ych chi, Sara, *diàvola, diàvola*!
    (*Mae Syr Gamaliel yn sipian brandi, Sara'n tawel wenu, a daw PAUL i mewn atynt drwy'r ffenestr a sefyll yn stond*)
PAUL: Syr Gamaliel Prys! Tawn i byth o'r fan!
SYR G (*yn wan*):
    Proffessor Roger, mae'n drueni o'r mwya eich bod chi rioed *wedi* mynd o'r fan.
PAUL: Y gwir a dim ond y gwir. Ond sut y gwyddoch chi? Gawsoch chi brofiad tebyg? Yn Hong-Kong?
SYR G (*eto'n wan o'r sioc*):
    Proffessor Roger —
PAUL: Mae'r colegau Cymreig yma'n mynd i bellafoedd y ddaear i chwilio am brifathrawon. Dyna'ch mantais chi. Duw a ŵyr beth a adawodd rhyw straffaldyn o Gymro ar ei ôl yn Hong-Kong. Beth petai rhyw un o Hong-Kong yn dychwelyd i Gymru? Dyna stori fyddai ganddo, Syr Gamaliel!
SYR G: Proffessor Roger —
PAUL: Na, nid arnoch chi y mae'r bai, Syr Gamaliel. Mae cyngor pob coleg yng Nghymru yn siŵr fod Hong-Kong yn balas o ddysg a gwrhydri wrth y Bala neu

Abertawe. Dim ond galanas neu drychineb sy'n peri i neb edrych yng Nghymru am brifathro. Fuoch chi ym Mosco, Syr Gamaliel?

SYR G: Proffessor Roger —

PAUL: Na fuoch, wrth gwrs. Ond fe ddylech fynd. Mae ar Brifysgol Cymru ddyled enfawr i Fosco. Oni bai am fwrdais ym Mosco, 'welsai neb erioed athro Cymraeg yn brifathro ar goleg yng Nghymru. Does ryfedd yn y byd fod Plaid Cymru mor selog dros Gomiwnyddion.

SYR G: Proffessor Roger —

PAUL: Pam y brandi, Syr Gamaliel? Fuoch chi'n darlithio'r bore yma?

SYR G: Dyw darlithio ddim yn rhan o waith prifathro —

PAUL: Ond mi gawsoch frecwast, Syr Gamaliel? Mi gawsoch frecwast, on'd do?

SYR G: Professor Roger, nid brecwast ond godineb a lladrad —

PAUL: Yn lle brecwast? Godineb a lladrad? Na, ddim yng Nghymru. Yn Hong-Kong, wn i ddim. Yn Fflorens a Milan, mwy na thebyg. Ond ddim yng Nghymru. Na, o ddifri rwan, Syr Gamaliel, gawsoch chi frecwast?

SYR G: Wrth gwrs mi gefais frecwast.

PAUL: Wrth gwrs! Diolch fyth am y gair! Praw fod y greadigaeth yn rhesymol a thaclus. Roeddwn i wedi dechrau amau. Be gawsoch chi i frecwast, Prys?

SYR G: A ga i ddiferyn rhagor o'r brandi yna, Mrs. Roger?
(Mae hi'n tywallt brandi iddo)

PAUL: Gawsoch chi uwd, Prys?

SYR G: Wrth gwrs mi gefais uwd.

PAUL: Wrth gwrs eto! Mae o mor uniongred â'r Deg Gorchymyn. Wyddoch chi, roeddwn i'n darlithio ar fy nghythlwng gynnau fach i'r dosbarth clod ar awdlau'r gorhoffedd. Gorhoffedd! Ac wrth egluro ystyr y gair mi fedrwn glywed ceirch Pentrefoelas yn ffrwtian berwi ar y tân. U-w-d! Dyna i chi fiwsig sydd yn y gair! Miwsig isel dwfn tyner, fel *cello* Pablo Casals ar y nodau isaf yn alaw anfarwol Bach. U-w-d!

FFIOR: Sara, *cara*, a ga inne ddiferyn o'r brandi yna?

(*Mae Sara'n tywallt brandi iddi*)

PAUL: Wyddoch chi be, Syr Gamaliel, wn i ddim ar y ddaear be ddaeth â chi i'r tŷ 'ma mor gynnar y bore, ond mae arna i ddiolch calon i chi—

SYR G (*yn ceisio codi'n urddasol*):

Proffessor Roger —

PAUL (*gan ei wasgu'n ôl i'w gadair*):

Na na, peidiwch ag ymddiheuro. Mae i chi groeso. Gwnaethoch gymwynas â mi. Rhyngoch chi a mi, doedd hi ddim mor hawdd imi ddod adre ar awr annisgwyl heddiw. Siawns nad taflu fy het i mewn gynta yn null Cwm Rhondda gynt fyddai ddoetha ac aros i weld a deflid hi'n ôl neu beidio. Ond dyma chi yma yn gwneud popeth yn hawdd. A minnau heb frecwast, a'r stumog yn wag, a 'mhen yn ysgafn droi, wedi noson o ddawnsio a dringo creigiau mynydd-oedd Harz—

FFIOR: *Becero! Porco!* . . . Uwd!

(*Mae hi'n taflu gweddill y brandi o'i gwydr i'w wyneb ef... Y mae HARRI a GWEN yn dyfod drwy'r ardd at y ffenestr tra y mae Paul yn sychu ei wyneb â'i hances*)

SARA: Mr. Harri Edwards! Miss Gwen Macduff! Dowch i mewn.

HARRI: Am gael gweld yr athro roedden-ni, Mrs. Roger.

SARA: Mae o yma. A'r Prifathro. A Miss Davies.

GWEN: Rargien! *Staff Common Room!*

SARA: O na! Mae'r Prifathro yma.

HARRI: Rarswyd!

SARA: Mae peth arswyd arnon-ni i gyd.

HARRI: Mi geisiais i'ch gweld chi ar ôl y ddarlith naw, syr.

PAUL: Bu'n rhaid imi fadael yn gynt nag arfer.

HARRI: Roeddech chi'n fyrrach nag arfer hefyd. Doeddech chi ddim yn edrych yn rhy dda, syr.

PAUL:	Marcio traethodau, wyddoch chi ... A'r ddawns neithiwr.
HARRI:	Ie y ddawns neithiwr. Mae 'na dipyn o ddychryn.
PAUL:	Dychryn? Ynglŷn â'r ddawns? Colled ariannol?
HARRI:	Dychryn o golled.
SYR G:	Dychryn, ddwedsoch chi?
HARRI:	Meddwl am gael gweld yr Athro Cymraeg yn breifat roedd Gwen a mi, syr. Mater i'r Gymdeithas Gymraeg.
SYR G:	Roedd y ddawns yn agored i'r Coleg.
GWEN:	Llawer rhy agored.
SYR G:	Rhy agored? Mater i mi, y Prifathro felly?
HARRI:	Efalle ei fod o'n fater i'r plismyn, syr.
	(*Mae llygaid pawb arno'n syn*)
SYR G:	Fuoch chi'n gweld y plismyn?
HARRI:	Roedd gen i ddarlith naw ar gloch. Wedyn mi chwiliais am yr Athro.
SYR G:	Lladrad?
GWEN:	Ie, lladrad. Mi wyddoch chi? Dyna pam rych chi i gyd yma?
SYR G:	Miss Macbeth —
GWEN:	Macduff, syr.
SYR G:	Macduff ie? Mi wyddwn eich bod chi rywle yn y ddrama. Pam nad aethoch chi am y plismyn? Oedd gennych chithau ddarlith?
GWEN:	Fi yw is-lywydd y myfyrwyr, syr.
SYR G:	Maddeuwch i mi. Fyddwch chi fyth yn mynd i ddarlithiau wrth gwrs. Pam felly na fuoch chi'n gweld y plismyn?
GWEN:	Ond y sgandal i'r Coleg, syr!
SYR G:	'Y merch fach i! Y fath *esprit de corps!* Does dim rhyfedd eich ethol chi'n is-lywydd! Roger, fe wnâi hon wraig i brifathro!
HARRI:	Dyna ddwedais innau, syr. Wyt ti'n gweld, Gwen?
PAUL:	Ym mhle y bu'r lladrad?
HARRI:	Yn y clôcrwm neithiwr, yn ystod y ddawns neu amser swper. Mi aeth rhywun drwy'r cotiau.
GWEN:	A'r bagiau.

SYR G: Do do. Mi wn.

HARRI: Chi, syr?

SYR G: Roedd fy nghot i yno.

GWEN: Fi rhoes hi yno. A'm satsiel inne.

PAUL: Mi 'gwelais i nhw gyda'i gilydd cyn imi fynd adre.

SYR G: Fe'u gwelsoch nhw, Proffessor Roger?

SARA: Fi drefnodd y peth. (*Mae'r Prifathro yn ei llygadu hi*)

FFIOR: Mi fuoch yn ddiwyd, Sara.

SYR G: Mi gollais i ugain punt a llyfr o sieciau o'r waled yn fy nghot.

GWEN: Mi gollais inne bedair punt o'r satsiel,

SYR G: Be sy gennych chi i'w ddweud, Proffessor Roger?

PAUL: Mae arna'i ofn yn wir mai mater i'r plismyn ydy o.

GWEN: Mi wnâi ddrwg enbyd i ddawnsiau'r coleg.

HARRI: Ac i'r Gymdeithas Gymraeg . Mi alla i glywed Saeson y coleg, *Taffy was a Welshman.*

GWEN: Ond mi fydde hynny'n sbort, Harri. Run fath â Sam y *beatnik.*

HARRI: Oes modd rhwystro iddo fynd i ddwylo'r plismyn, syr?

SYR G: Wel, a bod y lleidr yn gwybod, ac er mwyn arbed enw da'r coleg……

SARA: Petai o'n cyfadde? Dyna'ch meddwl chi? Wyddoch chi, synnwn i fawr nad oes siawns.

HARRI: Un o'r coleg ydy o felly? Un o'r efrydwyr?

FFIOR: Petai e'n un o'r efrydwyr, mater o ddisgyblaeth i senedd y Coleg fydde hynny.

SYR G: Siŵr iawn, mae disgyblaeth yr efrydwyr yn nwylo'r senedd. Mae arna'i ofn mai mater i Gyngor y Coleg yw hwn. Disgyblaeth y staff.

SARA: Prun ydy'ch banc chi, Syr Gamaliel? Y *North and South Wales?*

SYR G: Ie, Banc fy nhad, banc fy nhad-cu, fy manc inne.

SARA: A'r llyfr sieciau a goll'soch chi, llyfr newydd?

SYR G: Llyfr cyfan o drigain siec heb ddefnyddio'r un. Ond sut y gwyddoch *chi* hynny, Mrs. Roger? Yn y waled

54

yn fy nghot fawr i yr oedd y llyfr gyda'r pedwar
papur pumpunt.

FFIOR : A diflannu neithiwr?

SYR G : Does bosib eich bod *chi'n* gwybod lle y maen nhw,
Miss Davies?

FFIOR (*gyda mymryn o chwerthin*):
Na wn wir. Ond yr ydw i'n dechre rhyw led ame.

SYR G : Ie, yn anhapus, mae'n hawdd dyall hynny. Chithau
hefyd Proffessor Roger?

PAUL : Wir, Sir Gamaliel —

SYR G : Arhoswch funud...(*edrych ar yr efrydwyr*) Mae'r
cwmni yma dipyn yn gymysg. Ond a ga i yn fy swydd
o brifathro eich rhybuddio chi nad oes raid i chi
ddweud dim y funud yma a allai ddwyn unrhyw aelod
o staff y Coleg i anhawster, — chi eich hunan yn
arbennig.

SARA. Syr Gamaliel bach, mae 'na drwbwl mwy nag a wydd-
och chi yn ein haros ni i gyd.

SYR G : Mae'n siŵr nad ych *chi* ddim wedi galw am y plis-
myn, Mrs. Roger?

SARA : Dydy'r plismyn a minna ddim yn ffrindiau felly.
Wedi'r cwbl, Cymraes ydw i. Ond mae teleffôn yma
os dymunwch chi alw.

SYR G : Mi fydd yn rhaid imi roi gwybod i'r banc. Felly
rhaid dweud wrth y plismyn.

FFIOR : Dweud wrth y banc?

SYR G : Er mwyn stopio'r sieciau.

FFIOR : Wrth gwrs! Ydy'r lleidr yn sgwennu'n debyg i chi?

SYR G : Sut y gwn i? Ddwedsoch chi ddim ei fod e wedi
treulio'r noson yn eich fflat chi?

FFIOR (*yn ddwys*):
O na buase fe! ... (*golwg ddirmygus yn troi at Paul*)
Uwd.

SYR G : Felly does gennych *chi* ddim syniad lle y mae fy llyfr
sieciau i.

FFIOR : Mi fentraf fy llw nad yw e ddim ymhell.

SARA : Nac ydy. Rydw inna'n cytuno.

SYR G *(gan godi):*

O'r gore, mi alwa i'r plismyn cyn i'r lleidr gael cyfle i ddianc.

FFIOR : Peidiwch, Syr Gamaliel, rwy'n erfyn arnoch, peidiwch. Er mwyn y coleg, er eich mwyn eich hunan. Mi wnewch ddrwg.

SARA : Heblaw hynny, does dim rhaid.

SYR G : Dim rhaid? Pam nad oes rhaid?

SARA : Mae'ch sieciau chi reit ddiogel.

SYR G : Sut y gallan nhw fod yn ddiogel?

SARA : Mae'ch llyfr sieciau chi gen i.

PAUL : Sara!

SYR G : Mrs. Roger!

GWEN : Mrs. Roger!

HARRI : Yr Adran Gymraeg!

FFIOR *(gan ei chofleidio hi):*

Lladrones! *Ladra!* O, mae'n dda gen i!

SYR G : Fyddai'n ormod imi ofyn am chwaneg o'r brandi yna?

SARA *(gan weini arno'n siriol):*

Mae o'n dda, on'd ydy o? Mi agorais i'r botel neithiwr i ddathlu fy rhyddid.

PAUL : Sara, ddaru chi rioed o'r blaen yfed brandi.

SARA : Ond roedd neithiwr yn noson fawr, Paul.

FFIOR : A ga inne ddiferyn, Sara? Rwy'n teimlo reit od.

GWEN : Freuddwydiais i rioed mai dyma oedd bywyd y staff.

HARRI : Mae o'n debycach i Ciwba na Chymru.

GWEN : Rwy'n dechrau newid fy meddwl am briodi athro, Harri.

SARA : Gyda llaw, Gwen, mi gefais i'ch llythyr chi. Diolch i chi amdano.

GWEN : Llythyr?...Pa lythyr?

SARA : Eich llythyr i mi. Y llythyr gollsoch chi yn y ddawns.

GWEN *(yn grynedig):*

Chollais i ddim llythyr yn y ddawns.

SARA : Tybed?

GWEN : Mi gollais i bedair punt.

SARA : Wyddech chi ddim i chi golli llythyr hefyd?

HARRI : Do, Gwen. Mi ddwedaist iti golli pedair punt a llythyr preifat heb ei bostio o'th satsiel. Dwyt ti ddim yn cofio?

GWEN *(yn welw wan):*
Chollais i ddim llythyr. Naddo, naddo.

SARA : Chware teg i chi. Hawdd i chi anghofio. O ran hynny, roeddech chi wedi anghofio rhoi'ch enw wrtho... Eisteddwch, Gwen...Ydach chi'n sâl?

GWEN *(gan eistedd):*
A ga' i ddiferyn o'r brandi yna?

SARA : Estynnwch wydr iddi hi, Paul, wnewch chi?
(Y mae Paul yn gweini arni a hithau'n yfed)

HARRI : Be sy, Gwen? Y straen? Y lladrad yma ar ôl y ddawns neithiwr?

GWEN *(gan geisio rheoli dagrau):*
Mrs. Roger, fuoch chi'n chwilio fy satsiel i hefyd?

SARA : Naddo, Gwen bach. Bore heddiw y cefais i'ch llythyr chi.

GWEN : Phostiais i mo'r llythyr.

SARA : Doedd dim stamp arno chwaith. Fel y tro o'r blaen.

GWEN : Felly mi fuoch yn chwilio fy satsiel i?

SYR G : Mae'n debyg, Mrs. Roger, yr addefwch chi fod angen am ryw esboniad ar eich ymddygiad chi?

SARA : Mi ddylech fod wrth eich bodd, Syr Gamaliel.

SYR G : Am nad oes neb o'r staff yn euog? Mae hynny, siŵr iawn, yn arbed parchusrwydd y Brifysgol. Ond rych chithau'n wraig i athro, Mrs. Roger...Mae'n wir eich bod chi mewn sefyllfa dipyn yn eithriadol neithiwr. Roedd eich dyfodol chi mewn perigl. Ydych chi'n meddwl, Mrs. Roger, y gall hynny gyfiawn-hau—wel! Beth y galwa' i'r peth? Kleptomania?

SARA : Bwriwch am funud, Syr Gamaliel, eich bod chi wedi cyrraedd adre neithiwr o Lundain heb geiniog yn eich poced, a'ch swydd wedi ei cholli, a chithau heb swper, a'r tŷ wedi ei gau yn eich wyneb—

SYR G : Mrs. Roger, fedra i ddim dychmygu dim o'r fath beth. Cau'r tŷ yn fy wyneb i, a minnau'n brifathro—

(*Clywir llais tenor clir ac ysgafn yn canu ar y lloft—*)

Mae gen i dipyn o dŷ bach twt,
O dŷ bach twt, o dŷ bach twt, &...

PAUL: Pwy gythral sydd yn y lloft? Pwy sy'n canu?

(*Clywir drws yn cau gyda chlep*)

Mae rhyw un yn y tŷ Sara!

SARA: Popeth yn iawn. Peidiwch â chynhyrfu. Y *lodger* ydy hwnna. Newydd gael bath. Mae pob *lodger* yn canu ar ôl bath.

PAUL: *Lodger* ddwedsoch chi? Pwy *lodger*? Pryd y daeth o?

SARA: Neithiwr.

PAUL: Beth?.

SARA: Ar ôl i chi fynd. Freuddwydiais i ddim y deuech chi'n ôl y bore heddiw.

PAUL: Sara, rydach chi'n wallgo!

SARA: Fi? Choelia i fawr! Mater o fusnes. Bara a chaws. Rhaid imi drefnu ar gyfer y dyfodol. Mi fyddwch chi yn Pisa y Pasg, yn Fflorens a Siena.

PAUL: I uffern â Fflorens a Siena! Fy nghartre i ydy hwn. Pwy ydy'r *lodger* yma?

SARA: Mae o'n ŵr ifanc reit hawddgar ac o deulu da.

PAUL: Ymhle y cawsoch chi afael arno? Fu o'n cysgu yma neithiwr?

SARA: Wel, wrth gwrs hynny. Roedd yn rhaid imi gael rhywun gyda mi.

PAUL: Gyda chi?

SARA: Oeddech chi'n disgwyl imi gysgu fy hunan bach?

PAUL (*ar ben ei lais*): Cysgu gyda chi?

SARA: Oes ots gennych chi?

PAUL: Sara! ...Sara!

SARA: Bydd yn haws i chi gael ysgariad.

PAUL: Tewch â'ch nonsens. Mi wyddoch gystal â mi fod hynny ar ben.

SARA: Reit siŵr?

PAUL: Gofynnwch iddi hi.

58

SARA: Yn llofft y bachgen y bu o. Nid ar fynyddoedd Harz.

FFIOR: Sarff ych chi, Sara, sarff!

SARA: Pethau digri ydy gwŷr, Ffioretta, mi ddysgwch toc.

PAUL: Rhowch joch o'r brandi yna imi reit sydyn, da chi.

(Mae Paul yn cymryd gwydr a thywallt brandi a'i yfed a chlywir sŵn traed SAM yn disgyn y grisiau ac yntau'n canu —

SAM: Agorwch dipyn ar gil y drws,
Ar gil y drws, ar gil y drws,
Agorwch dipyn ar gil y drws

(Mae Sam yn agor y drws a sefyll yn y stafell a chanu'r llinell ola)

Gael gweld y môr a'r tonnau...
Wel! Oes 'ma bobol? Diwch!

(Y mae Sam yn gwisgo gŵn llofft sgarlad sy'n perthyn i Paul)

GWEN: Sam!

HARRI: Sam!

FFIOR: Sam!

(Cyfyd Syr Gamaliel ar ei draed a syllu arno, yna mewn llais crynedig)

SYR G: Samuel! ....Samuel!

SAM *(gan wenu'n siriol ond heb fynd ato)*:
Dad! Yr hen law! Llywyddu ar *cocktail-party* cyn unarddeg y bore! Heb newid dim! A chithau dros eich trigain oed! Yn union yr un triciau ag yn Hong-Kong ers talwm! Brandi ie? Nid martini? Doedd gen i ddim syniad fod pethau fel yma'n mynd ymlaen yng Nghymru! Dyma gyfarfod hyfryd iawn!

SYR G: O ble wyt ti'n dod?

SAM: O dramwyo ar hyd y ddaear. Awstralia gynta, yr Eidal, Paris, Llundain, wedyn hen wlad fy nhadau.

SYR G: Pam?

SAM: Pam? Wel, ar ôl pob man, llan a lle a chwrw a charu merchede —

HARRI: Nôl rhodio, treiglo pob tre —

SAM: Teg edrych tuag adre.

SYR G: Does dim cartre iti yma.

SAM: Glywch chi'r dyn, Sara? Yn cau'r drws yn glap yn
           fy wyneb i, a minne'n meddwl mai'ch tŷ chi oedd
           hwn.
SYR G: Pa bryd y daethost ti?
SAM: Yr un trên â chithau, 'rhen law. Mi fûm i bron â
           gofyn i chi dalu am docyn imi. Ond mi alle hynny
           sbwylio'r cyfarfod hapus yma yng nghanol y staff, a'r
           brandi'n arogleuo'n hyfryd.
SYR G: O ble?
SAM: O Wandsworth. Fuoch chi yno?......Naddo? Roedd-
           wn i'n un o dri mewn stafell braidd yn gyfyng, a mi
           ddwedais wrthyf fy hun, pa sawl gwas cyflog o eiddo
           fy nhad...? Mi wyddoch y gweddill? A dyma fi.
SYR G: Ti yw'r lleidr?
SAM: At ba job ych chi'n cyfeirio 'nawr? Melbourne neu
           Soho?
SYR G: Neithiwr yn nawns y Coleg?
SAM: Hynny bach? Dyw e ddim gwerth sôn amdano.
           Rhyw bedair punt ar hugain ac ychydig bapurau.
SYR G: Rhaid imi ymddiheuro i chi, Mrs. Roger.
SARA: Roedd eich tad am anfon am y plismyn, Sam, ond
           mi ddaru Ffioretta rwystro iddo.
SAM: Ffioretta! Go dda, 'merch i! Tyrd yma i roi cusan
           imi.
           *(Mae hi'n ei gofleidio a'i gusanu ac yntau yn ei
           chadw felly)*
FFIOR: *Samuele mio!*
SAM: Pwy oedd yn iawn, groten?
FFIOR: Ti oedd yn iawn, Sam.
SAM: Wyt ti wedi dysgu dy wers?
FFIOR: Ydw, Sam.
SAM: Mae gen i wersi eto i ddod iti.
FFIOR: Cariad!
           (Mae ef yn ei rhyddhau hi a throi at Sara)
SAM: Ble rhoisoch chi fy nghot i, Sara?
SARA: Yn y cwpwrdd aerio yn y llofft.
SAM: Oedd hi'n frwnt?
SARA: Mae hi wedi'i glanhau.

SAM:	Mae gen i bapurau ynddi.
SARA:	Mae llyfr sieciau'ch tad gen i.
SAM:	Sara! Pigo 'mhoced i a minne yn y bath! Lladrones!
SARA:	Dyna dd'wedodd eich tad.
SAM:	A minne'n meddwl 'y mod i wedi taro ar wraig fach hanner-pan yn crwydro'r strydoedd neithiwr ar ôl canol nos! Ar f'engoes i! A beth am yr arian?
SARA:	Mae'r arian ym mhoced eich cot. Cewch *chi* dalu'r pedair punt yn ôl i Gwen.
SAM:	I Gwen? Na na na! Mae gen i lythyr bach reit handi gan Gwen sy'n werth rhagor na phedair punt. On'd yw e, Gwen?
SARA:	Gwerth faint?
SAM:	Mi all yr efrydwyr yma fforddio. Dwedwch dair punt y mis am flwyddyn nes gorffen graddio. Neu fe aiff y llythyr bach at y Prifathro, a chopi at Gof-restrydd y Coleg. 'Chafodd y Prifathro ddim llythyr gen i ers talwm.
SARA:	Llythyr i mi oedd o.
SAM:	Sara bach, ers neithiwr mae popeth yn gyffredin rhyngon-ni. Mi guddiais i'r llythyr yn leinin fy nghot.
SARA:	Do. Mi drwsiais i'r leinin.
SAM:	Beth? A dwyn y llythyr?
SARA:	A'i roi yn y tân.
SAM:	Llosgi arian da! Pechod o beth, Sara, pechod! On'd yw e, Dad? Does gan ferched ddim cydwybod ynglŷn ag arian.
SARA:	Peidiwch â deud hynny o flaen 'y ngŵr i.
SAM:	Paul? Yr enwog Paul? Yr athro mawr? Testun y llythyr ffraeth!
	(*Dyry GWEN waedd isel fel ochenaid a llithro i lewyg . Mae Harri yn ei dal hi a Sara yn rhed-eg i helpu*)
SARA:	Dowch â hi i'r ystafell nesa iddi gael gorwedd ar y soffa.
	(*Mae Sara a Harri yn cario Gwen allan*)

PAUL: Fynnwch chi ddiferyn o frandi, Sam, i yfed at iechyd eich tad?

SAM: Syr, mae'n bleser cyfarfod ag athro Cymraeg mor wareiddiedig. Dylanwad Fflorens, ie?

FFIOR (gyda dirmyg):
U-w-d!

PAUL (gan godi ei wydr tuag ati):
Ice-cream.

SAM: Felly y mae hi yn y byd yma: rhwng uwd ac ice-cream mae rhamant serch yn boddi. Mi welais i'r un peth yn digwydd yn Wandsworth amser brecwast: dau gariad fel Dafydd a Jonathon yn ffraeo am byth uwch-ben platiad o uwd.

SYR G: Does gen i ddim blas ar dy gablu di.

SAM: A chithe'n anffyddiwr, Dad! Ond dyna fe, mi glywais fod holl anffyddwyr Cymru heddiw yn myn-ychu capel neu eglwys, er mwyn achub yr iaith Gymraeg.

FFIOR: Nid yn Wandsworth y cefaist ti'r gŵn llofft yna, Sam.

SAM: Sara roes fenthyg hwn imi. Swel, on'd yw e?

FFIOR: O Fflorens. Presant rois i i Paul.

SAM: Wela i. Dyna pam y lluchiodd Sara fe ata'i.

FFIOR: Ei luchio?

SAM: Fel petai'n grys yn Wandsworth.

FFIOR: Rwyt ti'n gartrefol iawn gyda Sara.

SAM: Wrth fy modd. Fel aelod o'r staff. Teulu nod-weddiadol Gymreig, dwyieithog a dau-wynebog. Ontefe Paul?

PAUL: Gellwch gadw'r gŵn llofft yna i gofio am Sara.

FFIOR: Na chei di ddim!

SAM: Oho! Eiddigedd, 'mechan i?

SYR G (wedi penderfynu):
Samuel!

SAM: Fy nhad......Llefara; y mae dy was yn clywed.

SYR G: Nid i holi am fy iechyd i y doist ti yma.

SAM: Mi fûm i'n holi. Roedd yr adroddiad yn ddigalon: wedi gwella'n llwyr.

SYR G:	Beth yw dy neges di?
SAM:	Oes rhaid gofyn? Does gen i ond un neges, fel pawb arall.
SYR G:	O'r gore. Gwell iti ddod yn ôl i'r tŷ gyda mi.
SAM:	Na, does dim angen hynny, Dad. Mae'ch llyfr sieciau chi yn gyfleus iawn gyda Sara.
SYR G:	Oes arnat ti ddim cywilydd?
SAM:	Ar hyn o bryd, Dad, y ddau dderyn yma, wedi eu dal mewn godineb, yw'r unig aelodau o staff y Coleg sy'n gwybod am fy mod i......Os gohiriwch chi, mi gaiff y coleg i gyd wybod.
FFIOR:	Enw da'r Brifysgol, *caro rettore*, rwy'n erfyn arnoch.
PAUL:	Newydd gael eich gwneud yn farchog, Syr Gamaliel! Rwy'n erfyn arnoch.
SAM:	Er mwyn hen werin y graith, Dad, rwy'n erfyn arnoch.
FFIOR:	Er mwyn enw da llywydd y coleg a'r cyngor.
PAUL:	Er mwyn y Prif Weinidog a roes eich enw i fod yn farchog.
SAM:	Er cof am fy mam, Dad, er cof am fy mam.
SYR G:	Samuel, rwyt ti'n codi cyfog arna i.
SAM:	Dyna'r unig bleser sy wedi ei adael imi, Dad.
SYR G:	Faint?
SAM:	Mil o bunnoedd.
SYR G:	Amhosib......Mi gefaist fil o bunnoedd y tro dwaetha. Mi delais i am gwrs tair blynedd iti raddio mewn amaethyddiaeth ym Melbourne, ac wedyn iti gychwyn ar y *ranch*.
SAM:	Mae naw mlynedd oddi ar hynny.
SYR G:	Chefaist ti mo'th radd. Welaist ti mo'r *ranch*.
SAM:	Chware teg nawr. Mi gollais i bedwar cant ar geffylau ym Melbourne. Heddiw mae gen i sustem anffaeledig.
SYR G:	Sustem anffaeledig! A gorffen yn Wandsworth!
SAM:	Yno y dysgais i'r sustem. Gan *stockbroker*.
SYR G:	Samuel, rw i'n ddwy a thrigain oed. Does gen i ond tair blynedd arall. Wedyn bydd y *blackmail* yma ar ben. Mi fydda i byw ar fy mhensiwn a chei di ddim dimai goch.

63

SAM: Chwe chant.

SYR G: Os na fyddi di'n rhesymol mi fedra i riteirio reit
         gysurus yr haf nesa 'ma.

SAM: Pum cant.

SYR G: Mae pethau wedi newid, 'machgen i. Rw i wedi
         byw yn brifathro ar y coleg yma wyth mlynedd. Wedi
         cael profiad, weli di, gyda chyngor y coleg, gyda'r
         staff academig, wedi arfer â phob math o wasgu a
         blackmail, wedi byw a llwyddo i fyw gyda chnafon
         tebyg i ti.

SAM: Pedwar cant. Dyna nghynnig ola i, Dad, pedwar
         cant.

SYR G: Chei di mo hynny chwaith. Mi ro i siec am gan
         punt iti heddiw. Mi gei di wedyn gan punt y flwydd-
         yn nes imi riteirio ar yr amod na ddoi di ddim yn ôl i
         Loegr na Chymru tra bydda i'n brifathro. Os doi di,
         chei di ddim ceiniog, mi alwaf am y plismyn a rit-
         eirio.

SAM (*gan weiddi*):
         Sara!

         (*Daw Sara i mewn*)
         ...Ble mae llyfr sieciau'r hen law?

SARA: Dan y teleffôn.

         (*Mae hi'n ei gael a'i roi i'r Prifathro*)

SYR G: Oes gen'ti gyfri yn y banc — mewn inc coch?

SAM: Ym Melbourne, Dad. Inc coch ers chwe blynedd
         Sieciau'n neidio'n ôl fel pêl dennis.

SYR G: Sut mae llenwi siec iti felly?

SAM: I Miss Ffioretta Davies. Mae Ffioretta a minne am
         gyfarfod yn Pisa yng ngwyliau'r Pasg.

FFIOR (*gan ei gofleidio*):
         Sam! Rwyt ti'n angel, Sam!

SAM: Pigo pocedi a charu.

FFIOR: Pisa yn y Pasg!

SAM: Palermo, Napoli!

FFIOR: Profiadau caru a phrofiadau artistig gyda'i gilydd!

SAM: A'r casino ym Monte Carlo! Sustem anffaeledig!

SYR G (*gan estyn y siec*):
Dyma'r siec i chi felly, Miss Davies.

FFIOR (*gan ei roi yn ei bag a chymryd llythyr allan a'i osod gerbron
Syr Gamaliel*):
A dyma'r llythyr, *caro rettore*.

SYR G: Llythyr?

FFIOR: Llythyr o gymeradwyaeth i mi i'r swydd yn Llundain.
Wedi ei deipio'n barod ar bapur y coleg. Does dim
rhaid i chi ond torri'ch enw.

SYR G: *Blackmail* eto, ai e?

FFIOR: Ond wrth gwrs, *caro*.

SYR G (*yn darllen*):
Miss Ffioretta Davies, daughter of a distinguished
Welsh writer who was for many years British consul
at Florence—......y celwyddau arferol, mae'n debyg?

FFIOR: Un neu ddau anarferol hefyd.

SYR G (*gan dorri ei enw*):
Ond iddo lwyddo ac imi gael eich gwared chi......

FFIOR (*gan gymryd y llythyr*):
Mae'n siŵr o lwyddo. Hen lanc yw'r Prifathro.

SAM: Tyrd gyda mi i'r banc, Ffioretta. Rhaid imi gael fy
nghot.
(*Ant allan ar y chwith, fraich ym mraich*)

PAUL: Oes rhywbeth wedi ei adael ar ôl brecwast, Sara?

SARA: Mae 'na blataid o uwd mewn dysgl ar y stof.

PAUL: Uwd! Diolch fyth am gartre Cymreig, Syr Gam-
aliel. Mae gen i ddarlith am ddeuddeg.
(*Exit Paul ar y chwith*)

SARA: Mae arnoch chi ddyled i mi, Syr Gamaliel.

SYR G (*gan fynd ati*):
Dyled go fawr...Os modd ei thalu?

SARA: Wn i ddim a gytunwch chi...Mi fyddai'n beth reit
ddoeth penodi Paul yn Is-brifathro'r Coleg y flwydd-
yn nesa.

SYR G: Campus o syniad, Mrs. Roger. Wedyn mi allwn ni
gadw helyntion heddiw a neithiwr yn gyfrinach yn
ein cylch bach ni. Mi ofala i fod y Cyngor yn ei
benodi e...... A beth am y ddau efrydydd yma?

65

Maen hwythau wedi clywed pethe...

SARA: Mi ofala i amdanyn nhw fel mam. Maen nhw'n blant bach neis.

SYR G: Ie, ontefe? Ga i ofyn i chi o ble y cawsoch chi eich dawn?

SARA: Fûm i erioed mewn coleg.

SYR G: Dyna fe. Mi gawsoch siawns i dyfu i fyny...Ie ie, ysgol feithrin yw'r Brifysgol yng Nghymru.

SARA: Yn enwedig yr adranna Cymraeg.

SYR G: Trueni eich bod chi'n briod, Mrs. Roger, A minnau'n ŵr gweddw fe wnaech chi ymgeledd iawn i brifathro.

SARA: Mi ddaw Sam yn ei ôl cyn pen dwy flynedd.

SYR G: Arhoswch yma i'm helpu i Mrs. Roger.

SARA: Mi drefnwn o'r gorau, Syr Gamaliel. Mi ro i daw ar Sam, ac fe ddaw Paul yn dawel i'ch lle chi yn Brifathro .... Cytuno?

(Cerddant gyda'i gilydd tua'r ardd...Daw GWEN a HARRI i mewn o'r chwith)

HARRI: Pawb wedi mynd...On'd ydy cyfarfodydd y staff yn ddiddorol?

GWEN: Mi ddo i gyda thi i Galway yn yr haf, Harri.

HARRI: Galway? O na, rydw i wedi newid fy meddwl. Rydw i am fynd i Fflorens. Gwell paratoad i brifathro.

GWEN *(gan gymryd ei fraich):*

Fe ddwedodd y prini y gwnawn i wraig iawn i brifathro......

(Ant hwythau allan drwy'r ardd)

TERFYN.